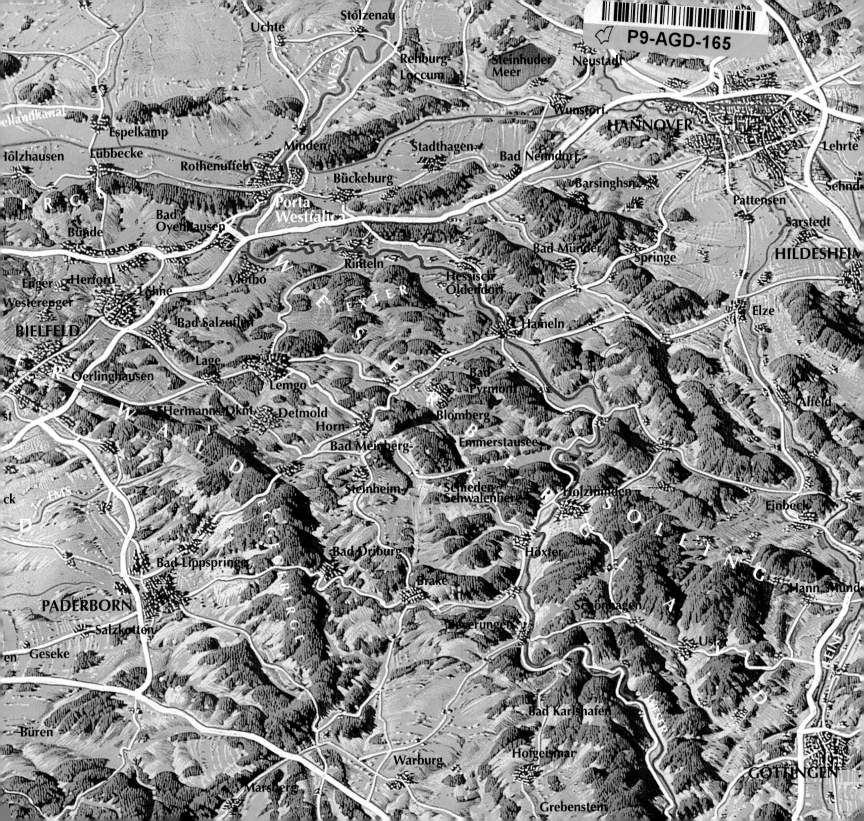

Farbbild-Reise durch Ostwestfalen/Lippe - TEUTOBURGER WALD
Pictorial Tour through Ostwestfalen/Lippe - TEUTOBURG FOREST
Pictorial tour à travers Ostwestfalen/Lippe - LA FORET DE TEUTOBURG

Farbbild-Reise durch Ostwestfalen/Lippe
TEUTOBURGER WALD

Herausgeber: Horst Ziethen
Textautor: Roland Linde

Externsteine bei Horn

ZVP ZIETHEN-PANORAMA VERLAG

Teutoburger Wald

Der Teutoburger Wald wurde im Jahre 1508 entdeckt und zwar in einer uralten Handschrift, die ein gelehrter Mönch im Kloster Corvey bei Höxter an der Weser gefunden und umgehend an den Papst geschickt hatte. Es handelte sich um die einzige erhaltene Abschrift einiger bis dahin fehlender Kapitel der „Annalen" des römischen Historikers Tacitus, die einen Bericht über die Kriegszüge des römischen Feldherrn Germanicus enthalten. Tacitus zufolge durchquerte Germanicus im Jahre 15 n. Chr. das Gebiet der Brukterer an den Oberläufen von Ems und Lippe und gelangte schließlich in die Nähe des „saltus Teutoburgiensis", des „Teutoburger Waldes". Hier fand er in einem heiligen Hain die aufgeschichteten Gebeine der getöteten Offiziere und die verstreuten sterblichen Überreste der Legionäre des Statthalters Varus. Drei Legionen und einige kleinere Einheiten, insgesamt ungefähr 25.000 Personen, waren an dieser Stelle im Jahre 9 durch den Germanenfürsten Arminius in den Hinterhalt gelockt und vernichtet worden. Es war eine der schlimmsten Katastrophen, die ein wichtiger Grund dafür war, dass die Römer auf eine Eroberung des rechtsrheinischen Germaniens verzichteten.

Niemand wusste, welches Gebirge Tacitus mit dem „Teutoburger Wald" meinte. Bischof Ferdinand von Fürstenberg schuf 1669 Fakten. In dem einflussreichen Buch „Monumenta Paderbornensis" schloss er sich der Theorie an, dass Arminius auf dem Wintfeld bei Berlebeck in der Nähe von Detmold seinen Sieg errungen hat und dass der „saltus Teutoburgiensis" kein anderer als der Höhenzug zwischen Horn und Bielefeld sei, der damals noch als Osning bekannt war. Schnell setzte sich der Name „Teutoburger Wald" für den Osning durch und wurde auf den in nordwestlicher Richtung anschließenden Höhenzug ausgedehnt. Mit dem 1838-1875 auf der Grotenburg, einem Berg bei Detmold-Berlebeck, errichteten Hermannsdenkmal wurde zudem ein weithin sichtbares Zeichen der Erinnerung an „Hermann den Cherusker" gesetzt, wie der Volksmund Arminius nannte und nennt.

Teutoburg Forest

The Teutoburg Forest was first discovered in the year 1508, and then only as a name. It was mentioned in an ancient manuscript which was found by a learned monk at the monastery of Corvey, near Höxter on the Weser, and immediately dispatched to the Pope. This document turned out to be the only remaining copy of the missing chapters of the Annals of the Roman historian Tacitus, the very sections which contain the story of the Roman commander Germanicus. According to Tacitus, while Germanicus was traversing the territory of the Bructerii tribe, on the upper reaches of the rivers Ems and Lippe, he approached the neighbourhood of the saltus Teutoburgiensis, that is, the Teutoburg Forest. Here, in a sacred grove, he came across the site of a massacre – the heaped-up bones of murdered officers and the scattered remains of the legionaries of the governor Varus. In the year 9 A.D., as we now know, three Roman legions and a number of smaller units, approximately 25,000 persons in all, were ambushed in the Teutoburg Forest by the Germanic leader Arminius. The result was carnage. It was one of the principal reasons why the Romans made no further attempt to conquer the Germanic tribes to the east of the Rhine.

Nobody knew exactly which area Tacitus was referring to when he wrote about the Teutoburg Forest. In his influential book Monumenta Paderbornensis of 1669, Ferdinand von Fürstenberg upheld the theory that Arminius' victory took place at Wintfeld, near Berlebeck, in the vicinity of Detmold, and that the saltus Teutoburgiensis was the area between Horn and Bielefeld, at that time known simply as Osning. In no time, Osning was rechristened the Teutoburg Forest, and this name subsequently came to include the adjacent highlands of the north-west. When the Hermannsdenkmal (Hermann memorial) was built on the Grotenburg, a peak near Detmold-Berlebeck, between 1838 and 1875, a symbolic memorial, it seemed to cement the connection between this area and the victorious Arminius, or Hermann, as he was commonly known.

La forêt de Teutoburg

La forêt de Teutoburg apparut pour la première fois dans un manuscrit très ancien découvert par un moine lettré du couvent Corvey près de Höxter sur la Weser et qu'il envoya immédiatement au pape. Il s'agissait de l'unique transcription conservée des quelques chapitres jusqu'alors manquants des «Annales» de l'historien romain Tacite et qui comportaient un récit des campagnes guerrières du commandant en chef romain Germanicus. D'après Tacite, Germanicus traversa en l'an 15 apr. J.-C. la région du Brukterer sur le cours supérieur de la Ems et de la Lippe et arriva finalement près de «saltus Teutoburgiensis», la Forêt de Teutoburg. Il trouva là dans un buisson sacré les ossements empilés des officiers tués et les restes éparpillés des légionnaires du proconsul Varus. Trois légions et quelques petites unités, en tout environ 25 000 hommes, avaient été attirées en ce lieu dans une embuscade et exterminées. Ce fut l'une des catastrophes les plus graves jamais subies par l'Empire romain et la raison principale pour laquelle les Romains renoncèrent à une conquête de la Germanie située au nord du Rhin.

Personne ne savait à quel massif Tacite faisait allusion avec la «Teutoburger Wald». L'évêque de Paderborn, Ferdinand de Fürstenberg, apporta des éléments en 1669. Dans son livre de référence «Monumenta Paderbornensis» il soutenait la théorie selon laquelle Hermann (latinisé en Arminius) avait été victorieux sur le Wintfeld à Berlebeck près de Detmold et que le «saltus Teutoburgiensis» n'était autre que la chaîne de collines entre Horn et Bielefeld, connue à cette époque sous le nom de Osning. Rapidement le nom «Teutoburger Wald» remplaça celui de Osning et fut étendu aux collines avoisinantes vers le nord-ouest. Le Hermannsdenkmal (monument d'Arminius) construit de 1838 à 1875 sur les hauteurs de Grotenburg, une colline près de Detmold-Berlebeck, donna de plus une forme visible de loin à «Hermann le Chérusque» – c'est ainsi qu'Arminius était et est encore appelé dans le langage populaire.

Wer war nun dieser als Freiheitsheld verehrte Arminius? Er gehörte dem Stammesverband der Cherusker an, einer jener Völkerschaften zwischen Rhein und Elbe, die von den Römern zusammenfassend als „Germanen" bezeichnet wurden. Den antiken Schriftstellern zufolge, lebten die Cherusker beiderseits der mittleren Weser, wobei ihr Gebiet nach Westen sehr wahrscheinlich durch den Osning, also den heutigen Teutoburger Wald, begrenzt wurde. Die Fürsten und Adligen der germanischen Stämme widmeten sich vor allem dem Kriegshandwerk, wobei man in wechselnden Bündnissen mal mit-, mal gegeneinander kämpfte. Sie unternahmen Beutezüge in die römisch besetzten Gebiete auf der linken Rheinseite. Diese Übergriffe waren die Ursache dafür, dass unter Kaiser Augustus (31 v. Chr. – 14 n. Chr.) mehrfach römische Truppen bis zur Elbe vordrangen, um die militärische Kontrolle über die germanischen Stämme zu erlangen. An eine dauerhafte Eroberung des unwirtlichen Germanien dachten die Römer zunächst nicht, vielmehr versuchten sie durch Bündnisverträge die einheimischen Fürsten an sich zu binden und durch die Errichtung von Militärlagern, entlang der Lippe, ihre Überlegenheit zu demonstrieren. Mehrere dieser Lager sind untersucht worden, wobei das westlichste in Anreppen bei Paderborn entdeckt wurde. Heute kann man den Spuren der Römer im rechtsrheinischen Germanien entlang der „Römerroute" von Xanten nach Detmold folgen, am besten mit dem Fahrrad.

Die Cheruskerfürsten hatten sich zunächst mit den Römern arrangiert. Der Fürst Segestes erhielt das Bürgerrecht, sein Sohn wurde Priester am kaiserlichen Altar in Köln. Zwei Söhne des Fürsten Segimer traten in den römischen Militärdienst ein, erhielten ebenfalls Bürgerrecht und waren Anführer regulärer germanischer Hilfseinheiten. Einer wurde von den Römern „Flavus" („der Blonde") genannt, der andere „Arminius". Mit seiner Einheit kämpfte Arminius in den Jahren 6 und 7 n. Chr. auf dem Balkan gegen die aufständischen Pannonier und wurde in den Ritterstand erhoben.

Who, then, was this Arminius, in the meantime celebrated as a popular hero? He was originally a member of the tribe of the Cheruscii, one of the peoples who inhabited the region between Rhine and Elbe; the Romans categorised them under the general term of Germanii. According to the writers of antiquity, the Cheruscii occupied the lands on both sides of the central reaches of the Weser. Probably the Osning, that is, the present-day Teutoburg Forest, lay on the very borders of their territory. The chiefs and noblemen of the Germanic tribes devoted themselves in the main to the military arts, changing their allegiances and successively making peace and declaring war on each other. And every so often they would make raids on the Roman-occupied regions to the west of the Rhine. These occasional assaults explain why the Roman Emperor Caesar Augustus (31 B.C. – 14 A.D.) more than once ordered his troops to advance to the Elbe in order to gain military control over the Germanic tribes. At first, however, the Romans did not consider an attempt at a long-term occupation of Germanic lands, for the native tribes were regarded as uncivilised and alien. Instead, the Romans adopted a general policy of ensuring the allegiance of local chieftains by signing treaties, at the same time demonstrating Roman superiority by erecting military camps along the river Lippe. Today it is possible to trace the footsteps of the Romans east of the Rhine by following the so-called "Roman Route" from Xanten to Detmold – ideally, by bicycle.

The leaders of the Cheruscii were quite willing to come to an agreement with the Romans. One of their number, Segestes, was given Roman citizenship, two of his sons took up military duties in the Roman army, were granted Roman citizenship and became leaders of regular German auxiliary troops. The Romans nicknamed one of them Flavus (blond man) and the other Arminius. In the years 6 and 7 A.D., Arminius led his unit into battle in the Balkans to fight the rebellious Pannonians and honours were duly heaped on him.

Qui était donc cet Arminius glorifié comme un héros de la liberté? Il appartenait à la tribu des Chérusques, une des peuplades habitant entre le Rhin et l'Elbe et que les Romains regroupaient sous le terme générique de «Germanen» (les Germains). D'après les écrivains de l'Antiquité, les Chérusques vivaient des deux côtés de la Weser moyenne, mais leur région était vraisemblablement délimitée vers l'ouest par le Osning, à savoir l'actuelle Teutoburger Wald. Les princes et les nobles des tribus germaniques se consacraient principalement à l'art de la guerre, en se combattant ou en s'unissant. Régulièrement ils entreprenaient des razzias dans les territoires occupés par les Romains sur la rive gauche du Rhin. Ces attaques étaient la cause, sous l'Empereur Auguste (31 av. J.-C.- 14 apr. J.-C.) d'avancées répétées des troupes romaines jusqu'à l'Elbe, afin de contrôler militairement les tribus germaniques. Au départ les romains n'envisageaient pas la conquête durable d'une Germanie considérée comme inhospitalière et peu accessible, ils tentaient plutôt de s'allier par des traités les princes autochtones et de faire la démonstration de leur supériorité par l'installation de camps militaires le long de la Lippe. Ces dernières décennies, plusieurs de ces camps ont été fouillés et le plus à l'ouest fut découvert à Anreppen, près de Paderborn. Aujourd'hui on peut suivre les traces des Romains en «Germanie de la rive droite du Rhin» en empruntant, de préférence en vélo, la «Route des Romains» de Xanten à Detmold.

Les princes Chérusques s'étaient tout d'abord arrangés avec les Romains. Le prince Segestes avait reçu la citoyenneté romaine, son fils était devenu prêtre à l'autel impérial de Cologne. Deux fils du prince Segimer avait fait leur service militaire romain, avaient eux aussi reçu la citoyenneté et ils commandaient comme officiers. L'un fut appelé par les Romains «Flavus» («le Blond») et l'autre «Arminius». Dans les années 6 et 7 apr. J.-C., Arminius combattit avec son unité dans les Balkans contre les Pannoniens rebelles comme un guerrier appliqué et très doué qui fut même élevé au rang de chevalier.

Der im Jahre 7 n. Chr. eingesetzte Statthalter Varus glaubte, im germanischen Gebiet römisches Recht sprechen und Steuern erheben zu können. Dieses Vorgehen wurde von den römischen Schriftstellern immer wieder als Ursache für die militärische Katastrophe des Jahres 9 genannt. Arminius gehörte nach seiner Rückkehr aus dem pannonischen Krieg zum Kreis der Vertrauten des Varus, plante aber eine Verschwörung. Im Herbst des Jahres 9 lockte er Varus unter einem Vorwand an die Weser und lauerte mit abtrünnigen Hilfstruppen und verbündeten Stammesverbänden den Legionen des Statthalters auf. Einer neuen Studie zufolge konnte Arminius bis zu 50.000 Krieger mobilisieren. Das Römische Reich verlor drei der 28 Legionen. Varus stürzte sich in sein Schwert und nur die Reiterei entkam. Der genaue Ort der Schlacht ist umstritten. In Kalkriese bei Osnabrück wird seit 1987 eine Kampfstätte der römisch-germanischen Kriege ergraben, die von vielen Archäologen und Historikern als das lang gesuchte Schlachtfeld angesehen wird.

In den folgenden Jahren nach seinem Sieg versuchte Arminius, die Alleinherrschaft über die Cherusker und die benachbarten germanischen Völker zu erringen. Zu den Gegnern gehörte der Cheruskerfürst Segestes, dessen Tochter von Arminius entführt und die er zur Frau nahm – Segestes wurde gefangen genommen. Im Jahr 15 n. Chr. brach der römische Feldherr Germanicus mit insgesamt acht Legionen, also einem Drittel der kaiserlichen Streitkräfte, in das rechtsrheinische Germanien auf, um Arminius zu unterwerfen. Er konnte Segestes befreien und nahm die Ehefrau und den Sohn des Arminius gefangen, um sie für den angeblichen Sieg im Triumphzug durch Rom zu führen.

Mehrfach trafen Germanicus und Arminius zwischen 15 und 17 n. Chr. aufeinander, nämlich an den „Langen Brücken", am Grenzwall der Angrivarier (vermutlich in der Nähe des Steinhuder Meeres), und auf dem Felde „Idistaviso" an der Weser. Die hierbei errungenen Siege des Germanicus waren alles andere als glanzvoll, er musste schwere Verluste hinnehmen.

When, in 7 A.D., Varus became governor of the region which included the Rhineland, he was under the impression that he would be able to implement Roman law and collect taxes as a matter of routine. Roman writers cited these practices as the cause of the military catastrophe in 9 A.D. After his return from the Pannonian wars, Arminius became one of Varus' circle of trusted companions, but he was hatching a deadly conspiracy. In the autumn of 9 A.D., he found some pretext to lure Varus to the Weser, planning to ambush the legions of the governor with the aid of renegade auxiliaries and the support of an alliance of local tribes. A recent study has come to the conclusion that Arminius may have mobilised up to 50,000 troops. The Roman Empire lost three of twenty-eight legions, Varus committed suicide by falling on his sword and only the cavalry were able to escape. The exact site of the massacre is hotly contested to this day. Since 1987, excavations in Kalkriese near Osnabrück have brought to light a battlefield dating from this time, and many historians now regard this site as the long-sought location of Arminius' victory.

In the years after his defeat of the Romans, Arminius attempted to seize complete control over the Cheruscii and the neighbouring Germanic tribes. One of those who resisted Arminius was the chieftain Segestes; Arminius' reaction was to capture his daughter, make her his wife and throw Segestes into prison. In 15 A.D. the Roman comander Germanicus marched into the lands east of the Rhine with eight legions in order to overthrow Arminius. He succeeded in freeing Segestes and also captured Arminius' wife and son, parading them triumphantly through the streets of Rome.

Germanicus and Arminius were to cross swords many times between 15 and 17 A.D. Two encounters took place on the "Long Bridge", on the territorial border of the Angrivari tribe (probably near the Steinhuder Meer) and on a field named Idistaviso. The hard-won victories of Germanicus were anything but glorious, for each time he suffered heavy troop losses.

Le proconsul Varus installé en l'an 7 apr. J.-C. pensait pouvoir instaurer le droit romain et lever des impôts en terre germanique. Ces agissements furent constamment cités par les écrivains romains comme la cause de la catastrophe militaire de l'an 9. Arminius faisait partie depuis son retour de la guerre pannonique du cercle des confidents de Varus mais il fomenta un complot. A l'automne de l'an 9 il attira sous un prétexte Varus au bord de la Weser et guetta les légions du proconsul avec ses troupes auxiliaires rebelles et des bandes de tribus alliées. D'après une étude récente, Arminius avait pu mobiliser 50 000 combattants. L'empire romain perdit trois de ses légions, sur un total de 28. Varus se tua avec son épée et seule la cavalerie put s'enfuir. Le lieu exact de la bataille est aujourd'hui encore sujet à discussions. A Kalkriese près d'Osnabrück on fouille depuis 1987 l'emplacement que de nombreux archéologues et historiens considèrent comme le champ de bataille longtemps recherché des guerres romano-germaniques.

Dans les années qui suivirent sa victoire sur les Romains, Arminius tenta d'imposer son autorité unique sur les Chérusques et les peuples germaniques voisins. Parmi ceux qui s'opposaient à cette volonté de souveraineté se trouvait le prince chérusque Segestes, qu'Arminius avait fait prisonnier après avoir enlevé puis épousé la fille. En l'an 15, le général romain Germanicus pénétra avec huit légions, soit le tiers des forces impériales, en «Germanie de la rive droite du Rhin», afin de soumettre Arminius. Il réussit à libérer Segestes et à capturer l'épouse et le fils d'Arminius, pour à son retour les conduire triomphalement à travers Rome.

Germanicus et Arminius s'affrontèrent plusieurs fois entre 15 et 17 apr. J.-C., à savoir aux «Langen Brücken», la frontière avec les Avars (sans doute près de la Mer de Steinhud) et sur le champ «Idistaviso» au bord de la Weser. Malgré ses victoires Germanicus dut subir de lourdes pertes.

Auch der Versuch, die römischen Truppen entlang der Nordseeküste und über die Ems ins Feindesland zu führen, erwies sich als verhängnisvoll, denn im Jahre 16 n. Chr. geriet die Flotte auf dem Rückweg in eine katastrophale Sturmflut. Im folgenden Jahr wurde das militärische Engagement der Römer östlich des Rheins beendet. Arminius suchte daraufhin die Konfrontation mit Marbod, der im Gebiet des späteren Böhmen ein germanisches Königreich errichtet hatte. Zwar konnte Arminius Marbod empfindlich treffen, doch um 20 n. Chr. fiel Arminius einem Attentat zum Opfer. Die cheruskische Bevölkerung ging in den folgenden Jahrhunderten in den Stammesverbänden der aus dem Norden vordringenden Angrivarier und der aus dem Süden kommenden Chatten auf. Der ostwestfälische Raum blieb im losen Kontakt zum römischen Reich, dessen Grenze inzwischen der entlang des Rheins errichtete Limes schützte. Seit dem späten 3. Jh. wanderten große Teile der Bevölkerung Westfalens unter dem Druck der beginnenden Völkerwanderung in die linksrheinischen römischen Provinzen ab.

Durch friedliche Einwanderung, aber auch durch Unterwerfung, geriet Ostwestfalen seit dem 5. oder 6. Jh. in das Herrschaftsgebiet der von Norden kommenden Sachsen. Die zahlreichen mit der Endung -trup bzw. -torf gebildeten Ortsnamen sind ein Erbe dieses sächsischen Vordringens, das noch heute die Region prägt. Das kriegerische Volk, das für sein Schmiedehandwerk bekannt war, nannte sich nach dem Sax, einem einschneidigen Schwert, und verehrte den Gott Saxnot.

Mit den heutigen Bewohnern des Freistaates Sachsen haben ihre älteren Namensvettern nur den Namen gemeinsam. Im Jahre 1180 hat Friedrich Barbarossa den letzten, in Braunschweig residierenden Sachsenherzog entmachtet – Heinrich den Löwen. Der Titel „Herzog von Sachsen" fiel zunächst an die Askanier in Wittenberg, später an die Markgrafen von Meißen, für deren Untertanen sich rasch die Bezeichnung „Sachsen" einbürgerte.

In addition, his attempt to dispatch Roman troops by ship along the North Sea coast and down the River Ems into enemy territory proved disastrous, for in 16 A.D. a fateful storm struck his fleet on their return. In the following year, the Romans ceased all military activities east of the Rhine. Arminius subsequently sought a confrontation with Marbod, who had succeeded in setting up his own Germanic kingdom in the region later known as Bohemia. Although Arminius was able to make some appreciable forays into Marbod's territories, he was assassinated in about 20 A.D. In the following centuries, the people of the Cheruscii were absorbed into the tribes of the Angrivarii, who invaded from the north, and the Chattii, who overran the region from the south. This part of East Westphalia retained a measure of contact with the Roman Empire, whose borders were in the meantime protected by the Limes, a line of fortifications extending along the Rhine. In the late third century, large sections of the population of Westphalia, driven out by the first advances of migrating peoples from the east, settled in the Roman provinces west of the Rhine.

Partly through peaceful migrations and partly through subordination, East Westphalia eventually came under the domination of the Saxons. Place names with the endings -trup or -torf are indicative of the Saxon influence that still characterises the region. The Saxons were a warlike people who were renowned far and wide for their advanced skills in working iron. Their name derives from the word Sax, meaning sword, and in particular they worshipped the god Saxnot.

The present-day inhabitants of the state of Saxony have little in common with their older namesakes; only the name remains. In the year 1180 Frederick Barbarossa deprived the last Duke of Saxony, Henry the Lion, of his powers. The title of Duke of Saxony fell first to the Askanian dynasty in Wittenberg and later to the Margraves of Meissen,whose subjects were soon also being referred to as Saxons.

La tentative visant à attirer les troupes romaines en pays ennemi le long des côtes de la Mer du Nord et au-delà de la Ems s'avéra également désastreuse, car en l'an 16 la flotte se trouva prise lors de son retour dans une effroyable tempête. L'engagement militaire des Romains à l'est du Rhin prit fin l'année suivante. Arminius chercha alors la confrontation avec Marbod qui avait réussi à fonder un empire germanique dans la région de la future Bohème. Même si Arminius put atteindre Marbod sérieusement, le prince des Chérusques fut victime d'un attentat vers l'an 20 apr. J.-C.. Son rêve d'un royaume Chérusque puissant resta inaccompli.

La population Chérusque se mélangea au cours des siècles suivants aux tribus des Avars venant du Nord et des Chattens venant du Sud. La région de la Westphalie orientale resta faiblement liée à l'Empire romain, dont la frontière était maintenant protégée par le «limes"». Depuis la fin du III s., une grande partie de la population de la Westphalie se déplaça vers les provinces romaines de la rive gauche du Rhin. En partie par des déplacements de population pacifiques, mais aussi par la soumission d'anciennes peuplades autochtones demeurées dans leur région, la Westphalie orientale atterrit dans la souveraineté des Saxons venus du Nord. Les nombreux noms de localités se terminant par -trup et -torf sont un héritage de cette avancée saxonne. Ce peuple guerrier, connu pour son talent à forger le métal, tenait son nom d'une épée à un seul tranchant nommée «Sax» et vénérait particulièrement le dieu «Saxnot».

Les habitants actuels du Land de Saxe n'ont en commun avec leurs anciens homonymes – les habitants de la Westphalie et de la Basse-Saxe – que le nom. En 1180 Frédéric Ier Barberousse a destitué le dernier duc de Saxe résidant à Braunschweig, Henri le Lion, de la maison des Welfes. Le titre «duc de Saxe» revint alors aux Ascaniens à Wittenberg puis aux margraves de Meissen (Misnie) de la dynastie des Wettin dont les sujets prirent rapidement le nom d'usage de «Saxons».

Doch wir haben weit vorgegriffen. Während West- und Mitteleuropa im 8. Jh. bereits weitgehend unter der Vorherrschaft der fränkischen Könige geeint waren und dem christlichen Glauben anhingen, waren die Sachsen an Ems, Weser und Elbe nach wie vor ein unabhängiges Volk, welches alte Götter verehrte. Es gab weder feste staatliche Strukturen noch städtische Zentren. Drei sächsische Volksstämme wurden unterschieden: Westfalen, Engern und Ostfalen. Das Gebiet der Engern an der Weser wurde durch Adelige beherrscht, die sich in jedem Jahr an einem Ort namens Markloh an der Weser versammelten. Die Lage dieses Ortes ist ebenso umstritten wie die der geheimnisvollen Weltensäule, der Irminsul. Dieses Heiligtum in der weiteren Umgebung der sächsischen Eresburg (Marsberg) wurde im Jahre 772 durch Karl den Großen zerstört.

Die Eroberung und Christianierung Sachsens war eine der Lebensaufgaben, die sich Karl der Große (768-814) gestellt hatte. Zum militärischen Anführer der Sachsen und Hauptgegner Karls wurde ab 777 der Adlige Sachse Widukind, der Karl dem Großen militärisch nur knapp unterlag, und infolge dessen 785 beispielgebend für die Sachsenstämme, in Attigny die Taufe empfing. Einer mittelalterlichen Legende zufolge ist Widukind der Gründer des Stiftes Enger bei Herford, in dessen Kirche er auch begraben worden sein soll.

In Paderborn errichtete Karl eine jener Pfalzen, wie sie im Mittelalter über das ganze Reich verteilt, für die ständig reisenden Könige und Kaiser erforderlich waren („Herrschaft zu Pferde"). Hier empfing er 799 Papst Leo III. und bereitete mit ihm seine Kaiserkrönung im folgenden Jahr vor. Mit der Gründung der Bistümer Paderborn, Minden und Osnabrück beendete Karl die Christianisierung des Sachsenlandes. Untersuchungen von ostwestfälischen Friedhöfen des späten 8. und 9. Jh. zeigen allerdings, dass abseits der Zentren trotz harter Strafandrohungen noch längere Zeit christliche und vorchristliche Riten und Glaubensvorstellungen nebeneinander existierten und sich vermischten.

But we are looking too far ahead. Returning to the eighth century, we find western and central Europe largely Christianised and united under the control of the Frankish kings. The Saxons communities along the Ems, Weser and Elbe had continued to maintain their independence and worship the old heathen gods. Their lands were sparsely settled and there was neither a administrative structure nor anything resembling a principal town. The population was divided into three Saxon tribes: Westphalian, Enger and Eastphalian. The region of the Enger the river Weser was governed by ruling dynasties who convened once a year with their followers at Markloh on the Weser. Till today, the location of Markloh has remained a bone of contention, as has Irminsul, the place of the mysterious column of the worlds. This shrine was destroyed by king Charlemagne in 772.

Charlemagne (768-814) made it his lifelong mission to conquer Saxony and convert its people to Christianity. From 777 onwards, Charlemagne's chief opponent was a Saxon military leader, a nobleman named Widukind. In 783 Widukind was forced to pay homage to Charlemagne and receive the sacrament of baptism in the French town of Attigny. After that we lose all trace of him, although according to a medieval tradition, Widukind subsequently founded the monastic community of Enger, near Herford, and was buried in the church there.

In Paderborn Charlemagne built one of the royal palaces that were of necessity spread out over the whole empire. In 799 Charlemagne received Pope Leo III in Paderborn and they made plans for Charlemagne's coronation in the following year. The foundation of the dioceses of Paderborn, Minden und Osnabrück marked the completion of the conversion of the Saxon lands to Christianity. Nevertheless, excavations of East Westphalian cemeteries dating from the late 8th and 9th centuries have shown that Christian and heathen rites and beliefs existed parallel.

Mais nous avons brûlé quelques étapes. Tandis qu'au VIII s., l'Europe occidentale et l'Europe centrale étaient déjà presque entièrement unifiées sous la domination des rois francs et attachées à la foi chrétienne, les Saxons de la Ems, de la Weser et de l'Elbe demeuraient un peuple indépendant, rendant hommage aux anciens dieux. Comme à l'époque d'Arminius, il n'y avait toujours pas de structure étatique établie ni de centres urbains. On différenciait trois tribus de Saxons: les Westfalen, les Engern et les Ostfalen. La région des Engern s'étendait des deux côtés de la Weser. Le pays et ses habitants étaient sous le règne de nobles, qui se réunissaient chaque année avec leur suite respective à Markloh sur la Weser. L'emplacement de ce lieu est controversé, de même que le site des mystérieuses colonnes, les Irminsul. Ce sanctuaire situé dans les environs du Eresburg saxon (Marsberg) fut détruit en 772 par Charlemagne, roi des Francs.

La conquête et la christianisation de la Saxe était l'une des missions que Charlemagne (768-814) s'était fixée. Un noble du nom de Widukind devint à partir de 777 le chef militaire des Saxons et l'adversaire principal de Charlemagne. Les avancées de Charlemagne les deux années suivantes furent décisives. Widukind dut se soumettre au roi en 785 et fut baptisé à Attigny. A partir de là, on a perdu sa trace. D'après une légende moyenâgeuse, Widukind aurait fondé le couvent Enger près de Herford, et aurait été enterré dans l'église de ce dernier.

Charlemagne fit construire à Paderborn l'un de ces châteaux impériaux répartis au Moyen-Âge sur tout le royaume et que les rois et empereurs utilisaient au cours de leurs incessants voyages. Il y reçut en 799 le pape Léon III et prépara avec lui son couronnement impérial l'année suivante. Charlemagne acheva la christianisation du pays saxon avec la fondation des évêchés de Paderborn, Minden et Osnabrück. Des fouilles dans les cimetières montrent cependant qu'à l'écart des centres et malgré la menace de punitions sévères, les rites et les croyances chrétiennes et pré chrétiennes se poursuivirent encore.

Die sächsische Führungsschicht arrangierte sich schnell mit den neuen Verhältnissen, die ersten bedeutenden Gewerbeansiedlungen der Region entstanden. Nur wenige Generationen nach der Unterwerfung entwickelte sich ein neues politisches Selbstbewusstsein. Heinrich I. wurde 919 als erster Sachse zum König gewählt, sein Sohn Otto der Große erhielt 962 in Rom die Kaiserkrone.

In den folgenden Jahrhunderten geriet der Raum Ostwestfalen ein wenig an den Rand des großen historischen Geschehens. Neben den Bischöfen von Paderborn, Minden und Osnabrück versuchten im 13. bis 15. Jh. mehrere Adelsgeschlechter eigene Landesherrschaften zu errichten. Die Konkurrenz wirkte sich befruchtend aus, die Landesherren errichteten nicht nur Burgen, sondern gründeten auch Städte, die zum Teil Mitglieder des Hansebundes wurden. Dadurch war der Boden bereitet für die kulturelle und wirtschaftliche Blütephase des 16. Jh., die als Weserrenaissance bezeichnet wird. Man versorgte die niederländischen Hafen- und Handelsstädte mit Getreide. So gelangte die von Italien ausgehende Rückbesinnung auf die Baukunst der griechisch-römischen Antike in den Weserraum. Im Baustil der Renaissance entstanden in Ostwestfalen-Lippe eine Vielzahl von Bauten der Landesherren, des niederen Adels und des städtischen Bürgertums.

Auch der Fremdenverkehr und der Kurbetrieb entwickelte sich zu einem wirtschaftlichen Standbein der Region. Im 19. Jh. wurde die Heilkraft der Salzsolen bekannt, die man bis dahin allein zur Salzgewinnung genutzt hatte. 1811 begann der Kurbetrieb in Bad Rothenfelde, 1818 im lippischen Bad Salzuflen.

Heute präsentieren sich Ostwestfalen-Lippe und der Teutoburger Wald als Landschaft der Wanderer, Naturliebhaber und Geschichtsbegeisterten, aber auch als Region traditionsreicher Heilbäder, moderner Industrie und kreativer Hochschulen. Und über all dieser Vielfalt wacht „Hermann der Cherusker", mit dem vor 2000 Jahren alles begonnen hat.

The Saxon leaders quickly came to terms with the new situation, and there arose the first significant commercial settlements of the region. The Saxons developed a new measure of political self-confidence. In 919, a Saxon, Heinrich I, was elected king by the East Frankish Imperial Diet, in 962 his son, Otto the Great, was crowned Emperor in Rome.

In the following centuries, however, the region of East Westphalia found itself on the sidelines of the main historical events. Between the 13th and 15th centuries, a number of aristocratic families tried to seize control of local territories . These rival claims to land were ultimately to prove beneficial to the region, for the rulers erected strongholds and founded towns, some of which became members of the Hanseatic League. These fruitful connections prepared the ground for the region's cultural and economic ascendancy in the 16th century, in the period known as the Weser Renaissance. The new style actually arrived by waterway. The Weser area supplied the Low Countries with corn, and in return, the influence of the Italian Renaissance, by now widespread in Flanders and beyond, gradually extended to the Weser. Thus the Renaissance focus on the principles of Greek and Roman architecture found an echo in many buildings throughout East Westphalia and Lippe, whether those of the rulers, the lesser aristocracy or the wealthier citizens of the region. It was, however, the tourist and health resort industries that became the crucial factors in determining the region's economy.

Today, East Westphalia, Lippe and the Teutoburg Forest have become the favourite landscape of walkers, nature-lovers and enthusiastic amateur historians, while not losing their reputation as the traditional region of spa towns, modern industry and highly productive universities. And, as ever, presiding over this great palette of opportunities, stands the figure of Hermann, the Cheruscan chieftain with whom it all began two thousand years ago.

La classe dirigeante saxonne s'accommoda rapidement de cette situation nouvelle. Quelques générations après leur soumission, les Saxons développèrent une nouvelle conscience politique. Avec Henri Ier, la réunion impériale de Franconie orientale choisit en 919 pour la première fois un Saxon comme roi.

Au cours des siècles suivants, la région de Westphalie orientale se retrouva ensuite un peu en marge du cours de l'Histoire. Du XIII au XV siècle, à côté des évêques de Paderborn, Minden et Osnabrück, plusieurs familles nobles tentèrent de fonder leurs propres fiefs. Cette concurrence eut des effets plutôt bénéfiques pour la région, les seigneurs ne se contentant pas seulement de construire de nombreux châteaux, ils fondèrent aussi des villes dont les murs abritaient des corporations d'artisans et de commerçants. Plusieurs villes de la région devinrent membres de la Hanse. Cette situation allait permettre l'apogée du XVI s. décrite comme la «Renaissance de la Weser». La région de la Weser approvisionnait en céréales par la route fluviale les Pays-Bas. Dans l'autre sens, le retour à l'architecture de l'Antiquité gréco-romaine arriva dans la région de la Weser. On construisit en «Westphalie orientale-Lippe» dans le style de la Renaissance un nombre impressionnant d'édifices pour les seigneurs, la petite-noblesse et la bourgeoisie des villes.

Le tourisme et le thermalisme devinrent un des piliers économiques de la région. Au début du XIX siècle, on découvrit également les vertus curatives des eaux salines, utilisées jusqu'alors seulement pour l'extraction du sel. En 1811 le thermalisme débuta à Bad Rothenfelde, près d'Osnabrück, et en 1818 à Bad Salzuflen.

Aujourd'hui la Westphalie orientale-Lippe et la forêt de Teutoburg se présentent comme la région des randonneurs, amis de la nature et passionnés d'histoire, et comme celle de stations thermales de tradition, d'une industrie moderne et d'universités modèles. Et sur toute cette diversité veille encore «Hermann le Chérusque», par qui tout a commencé il y a 2000 ans.

© Copyright by:
ZIETHEN-PANORAMA VERLAG
D-53902 Bad Münstereifel · Flurweg 15
Telefon: 02253 - 6047 · Fax: 02253 - 6756
www.ziethen-panoramaverlag.de

Neuerscheinung

Redaktion und Buchgestaltung: Horst Ziethen
Texte u. histor. Beratung: Roland Linde
Englische Übersetzung: Gwendolen Webster
Französische Übersetzung: Maryse Quézel

Gesamtherstellung:
ZIETHEN-Farbdruckmedien GmbH, D-50999 Köln
www.ziethen.de

Bindung: Leipziger Großbuchbinderei

Printed in Germany

ISBN 3-929932-27-X

BILDNACHWEIS / TABLE OF ILLUSTRATIONS / TABLE DES ILLUSTRATIONS

Seiten:
Stuttgarter Luftbild Elsässer 9, 38/39, 42, 47, 58, 70
Fritz Mader . . . . .10, 28, 30, 35, 36, 43, 53, 54, 56 r., 57, 59, 60, 63
Archiv Ziethen-Panorama-Verlag 11, 13, 14
Original v. Lippischen Landesmuseum, Detmold .12, 19
AKG-Images 15
DLB-Deutsche Luftbild 16, 26, 31, 32, 34, 45, 51, 64, 69
Greiner & Meyer .17, 21, 23, 25, 40, 62
Werner Otto 18, 20, 65
Lothar Bünermann 22
H.P. Merten 24, 46, 52
BA Schapowalow / Kornblum 27, 29, 44
HB Verlag 33, 41, 55, 66
Dirk Topel 37, 50
Peter Brandenburg 48, 49
Widukind-Museum, Enger . . . . .56 l.
BA Okapia 61, 67
Tourist-Information Bad Iburg 68
Fridmar Damm 71
Holger Klaes 72
KARTEN-NACHWEIS
Vorsatzseiten: Ausschnitt aus der Deutschland-Panorama-Karte von © Mairs Geografischer Verlag
Nachsatzseiten: Historische Karte - Archiv: Ziethen-Panorama-Verlag

Entdeckung eines röm. Feldzeichens

Auf der Grotenburg, einem 386 Meter hohen Berg bei Detmold, errichtete der Bildhauer Ernst von Bandel in den Jahren 1838 bis 1875 ein Denkmal für Arminius, den Sieger der Schlacht im Teutoburger Wald - das Hermanns-denkmal. Der Unterbau des Denkmals ist fast 27 m hoch, das kupferne Standbild misst bis zur Schwertspitze knapp 27 m. Allein das Schwert wiegt elf Zentner. - Auf den folgenden Seiten wurde anhand von alten Stichen und Gemälden versucht, die Kämpfe und Lebensweise der Germanenstämme vor ca. 2000 Jahren bildlich darzustellen.

Discover of a roman field sign

Between 1838 and 1875 the sculptor Ernst von Bandel created a memorial to Arminius, the victor of the Battle of Teutoburg Forest. Known as the Hermannsdenkmal, it stands on the 386-metre high Grotenburg near Detmold. The pedestal is nearly 27 metres high, and the length of the copper figure to the tip of the sword also measures nearly 27 metres. The sword alone weighs 11 hundred-weight. Bandel was not the only 19th century artist to enthuse about Arminius. Other painters produced imaginative pictures of noble warriors, as can be seen on the following pages.

Bataille de la forêt de Teutoburg

Sur les hauteurs de Grotenburg (386 m) près de Detmold, le sculpteur Ernst von Bandel a érigé en 1838-1875 un monu-ment pour Arminius, le vainqueur de la bataille dans la forêt de Teutoburg, le «Hermannsdenkmal». Le socle du monu-ment approche les 27 mètres, la statue en cuivre mesure jusqu'à la pointe de l'épée aussi 27 mètres. A elle seule, l'épée pèse une demi tonne. Les pein-tres de son époque se sont aussi intéressés à cette thématique et ont créé des tableaux pleins de fantaisie (voir pages suivantes) montrant des héros venus de la nuit des temps.

◁ **HERRMANNSDENKMAL**

Die Schlacht im Teutoburger Wald

Der zuverlässigste Bericht über den Untergang der Legionen des Varus stammt von dem Griechen Cassius Dio, der um 230 n. Chr. schrieb: „Denn das Gebirge war reich an Schluchten, die Bäume dicht und groß. Weil die Römer mit den Wagen und dem Tross bunt durcheinander marschierten, sie sich nicht zusammenschließen konnten und ihre einzelnen Trupps schwächer waren als ihre jeweiligen Angreifer, so hatten sie viele Verluste, während sie selbst dem Feinde keinen Schaden zufügten. So wurde denn von den Barbaren alles niedergemetzelt, Mann und Ross."

The Battle of Teutoburg Forest

The most reliable account of the defeat of the legions of Varus comes from Cassius Dio, a Greek historian writing in about 230 A.D. "For the mountains were rich in ravines and the forest was dense and high. Because the Romans marched through in a highly disorganised fashion with their waggons and baggage, they couldn't close ranks, and as their squads proved much weaker than those of their attackers, they suffered many losses, while they themselves were not able to inflict any damage on the enemy. And so men and horses alike were all hacked to death by the barbarians."

Bataille de la forêt de Teutoburg

Le récit le plus fiable de l'anéantissement des légions de Varus provient du Grec Cassius Dio, qui écrivait en 230 apr. J.-C.: «Car la montagne était riche an gorges, les arbres épais et grands. Parce que les romains avançaient avec leur chars et leur escorte en ordre dispersé, qu'ils ne purent se rassembler et que leurs troupes séparées étaient plus faibles que celles de leurs adversaires respectifs, ils subirent beaucoup de pertes alors qu'eux même n'infligeaient pas de dommage à l'ennemi. Ainsi les barbares anéantirent tout, hommes et chevaux.»

Die Siegreiche Heimkehr des Arminius

Die Rachefeldzüge des römischen Feldherrn Germanicus in den Jahren 15 bis 17 n. Chr. wurden dagegen ausführlich um 120 n. Chr. von Tacitus geschildet. Seinen „Annalen" zufolge fand Germanicus die sterblichen Überreste der Legionen des Varus im „saltus teutoburgiensis", im Teutoburger Wald. Auch den Bericht über die Gefangennahme der Thusnelda, der Gattin des Arminius, verdanken wir Tacitus. Germanicus konnte Arminius zwar nicht unterwerfen, doch auf seinem Triumphzug durch Rom stellte er die Frau und den Sohn des Feindes zur Schau.

The Roman commander Germanicus, bent on revenge, undertook a number of campaigns between 15 and 17 A.D. In 120 A.D., the Roman historian Tacitus gave a detailed account of these events in his Annals, stating that Germanicus discovered the rotting remains of the ill-fated legions of Varus in a place called saltus teutoburgiensis, the Teutoburg Forest. Tacitus also tells us of the capture of Thusnelda, Arminius' wife. Although Germanicus was unable to defeat Arminius, he succeed in parading the wife and son in triumph through the streets of Rome.

Les campagnes de représailles du chef romain Germanicus dans les années 15 à 17 apr. J.-C. sont décrites en détail par Tacite vers 120 apr. J.-C. D'après ses «Annales», Germanicus avait trouvé les ossements des légions de Varus dans le «saltus teutoburgiensis», dans la forêt de Teutoburg. C'est aussi à Tacite que l'on doit le récit de la capture de Thusnelda, l'épouse d'Arminius. Certes Germanicus ne put soumettre Arminius mais il exhiba la femme et le fils de son ennemi lors de son défilé triomphal à travers Rome.

Besonderes Interesse weckten schon im 19. Jh. die Spuren frühgeschichtlicher Festungsanlagen auf den Höhen des Teutoburger Waldes. Auch auf der Grotenburg bei Detmold wurden Überreste einer solchen Anlage gefunden, die man mit Arminius in Verbindung brachte. Neuere archäologische Untersuchungen ergaben allerdings, dass die Wallburg unterhalb des Hermannsdenkmals bereits im vierten vorchristlichen Jahrhundert, in der vorrömischen Eisenzeit, errichtet worden war und in der Arminiuszeit wohl nicht mehr genutzt wurde.

In the 19th century, the discovery of the remains of several prehistoric fortresses on the heights of the Teutoburg Forest aroused considerable interest. When it became evident that the foundations of one such hill-fort lay buried on the slopes of Grotenburg hill near Detmold, it was assumed that the site had some connection with Arminius. In the light of recent archaeological excavations, however, it has become clear that the fort located just below the Hermann memorial dates from the 4th century B.C., that is, from the pre-Roman Iron Age, and had been abandoned by Arminius' time

Les traces des places fortes sur les hauteurs de la forêt de Teutoburg éveillèrent beaucoup d'intérêt dès le XIX siècle. Sur les hauteurs de Grotenburg près de Detmold, on trouva aussi les vestiges d'une fortification qui aurait un rapport avec Arminius. Des recherches archéologiques plus récentes ont cependant montré que la forteresse située en contrebas du Monument d'Arminius avait été érigée dès le IV siècle av. J.-C., c'est à dire à l'âge du fer pré romain et qu'elle n'était plus utilisée à l'époque d'Arminius.

Im südlichen Teil des Teutoburger Waldes bieten die Externsteine einen Anblick, der die Menschen seit Jahrhunderten fasziniert. Genau gesagt sind es die fünf westlichsten, bis zu 37,5 Meter emporragenden der insgesamt 13 Felsen, da nur sie im Laufe der Erdgeschichte durch die Quellbäche der Wiembeke freigespült wurden. Durch Erdbewegungen am Ende der Kreidezeit vor etwa 70 Millionen Jahren wurde der eigentlich flach lagernde Sandstein an diesem Ort senkrecht aufgerichtet. Der Teich wurde erst 1812 angelegt.

The sight of the Externsteine, in the south of the Teutoburg Forest, is one that has fascinated people for many centuries. We are talking here about the five westernmost rock formations, which reach a height of 37.5 metres, for it is only these that the flowing springs of the Wiembeke have washed free in the course of time. There are thirteen of these great fissured pillars, dating from the Cretaceous period, about 70 million years ago. What were once horizontal layers of sandstone were here raised to a vertical position through earth movements. The lake was added in 1812.

Au sud de la forêt de Teutoburg, les «Externsteine» offrent une vue qui fascine les hommes depuis des siècles. Il s'agit précisément des cinq rochers les plus à l'ouest, se dressant parmi 13 autres jusqu'à une hauteur de 37,5 mètres, ces cinq rochers furent les seuls à être érodés par les torrents à la source de la Wiembecke au cours de l'histoire de la terre. Il y a environ 70 millions d'années, suite à des mouvements terrestres à la fin du crétacé, le grès au départ horizontal se dressa verticalement à cet endroit. L'étang fut aménagé en 1812.

Die von Menschenhand geschaffenen Anlagen an den Externsteinen - die Felsengrotte, die Höhenkammer und das Scheingrab – geben dem Meinungsstreit um die historische Bedeutung der Felsen immer wieder neue Nahrung. Schon 1582 vermutete ein Gelehrter, Karl der Große habe hier ein heidnisches Heiligtum zerstört. Man kann sich zwar vorstellen, dass die Felsen schon in vorchristlicher Zeit eine besondere Bedeutung hatten. Anhand archäologischer Funde lässt sich menschliche Tätigkeit erst seit dem 11. Jh., also in christlicher Zeit, nachweisen.

The man-made elements of the Externsteine - that is, the rock grotto, the high chamber and the mock grave - never fail to provide a fruitful source of argument about the historical significance of these rock formations. As far back as 1582, a scholar suggested that Charlemagne destroyed a heathen temple on this spot. It is, of course, conceivable that the stones were venerated in pre-Christian times, but there is no evidence of heathen occupancy here, and archaeological excavations have revealed no traces of human activity prior to the 11th century.

Les sites créés dans les Externsteine par l'homme - la grotte, la salle des hauteurs et le faux tombeau - alimentent sans cesse des débats sur la signification historique de ces rochers. Déjà en 1582, un érudit pensait que Charlemagne avait détruit à cet endroit un sanctuaire païen. On peut bien sûr imaginer que ces rochers avaient déjà une signification particulière à l'époque pré chrétienne. Les fouilles archéologiques indiquent une activité humaine seulement depuis le XI siècle, donc à l'ère chrétienne.

Externsteine-Relief

Für das 14. Jh. ist die Anwesenheit von Einsiedlern urkundlich bezeugt. Doch wann und durch wen die künstlichen Anlagen geschaffen wurden, bleibt rätselhaft. Einige Historiker vermuten, dass hier im frühen 12. Jahrhundert eine Nachbildung der Stätten des Leidensweges Jesu Christi geschaffen wurde. Für diese Deutung spricht auch die eindringliche Darstellung der Kreuzabnahme Christi, ein in den Fels gehauenes monumentales Freirelief, das nach Alter und Größe das bedeutendste nördlich der Alpen ist.

Descent into the Externsteine

The first official written evidence of settlers here occurs in the 14th century. But exactly when and by whom these artificial constructions were created remains a mystery. Some historians have concluded that the carvings of the Stations of the Cross probably date from the early 12th century, and there are good arguments for this assumption - for example, this striking depiction of Christ's Descent from the Cross, a monumental relief carved into the walls of one of the rock formations. Both from its size and age, it is one of the most important of its kind north of the Alps.

La descente de croix du Externstein

Au XIV siècle, on cite la présence de colons. Quand et par qui furent créées ces réalisations artificielles demeure néanmoins un mystère. Quelques historiens émettent l'hypothèse selon laquelle au début du XII siècle une copie des stations du chemin de croix du Christ aurait été réalisée en ce lieu. Cette interprétation est soutenue par la représentation stupéfiante d'une descente de croix, un bas-relief monumental sculpté dans le rocher, le plus important des Alpes du nord par son ancienneté et sa taille.

Das archäologische Freilichtmuseum in Oerling-hausen am Teutoburger Wald zeigt anschaulich das Wohnen und Wirtschaften in verschiedenen frühgeschichtlichen Epochen. Rekonstruiert wurden z.B. Backhaus, Webhaus und Töpferei einer germanischen Siedlung der römischen Kaiserzeit (1.-4. Jh. n. Chr.) ebenso wie ein Abschnitt der Wallanlage, die auf dem benachbarten Töns-berg in der vorrömischen Eisenzeit (5.-1. Jh. v. Chr.) errichtet wurde. Vom Museum aus kann man auf einem Rundwanderweg diesen und anderen his-torischen Spuren nachgehen.

The archaeological open-air museum in Oerling-hausen, in the Teutoburg Forest, illustrates daily life and working methods in various periods of antiquity. There are reconstructions of a bake-house, a weaver's house and a pottery from the time of Germanic settlers under Roman rule (between 1 and 4. A.D.). Visitors can also see a section of the Iron Age hill fort situated on the nearby Tönsberg in the pre-Roman era (between 5 and 1. B.C.). A circular path leads from the museum to include all these sites and many others of historical interest.

Le musée archéologique en plein air à Oerling-hausen, dans la forêt de Teutoburg, permet de découvrir l'habitat et l'artisanat à différentes époques de l'Histoire ancienne. On a par exemple reconstruit les maisons où l'on faisait le pain, le tissage et la poterie d'une cité germanique au temps de l'Empire romain (I-IV s. apr. J.-C.), ainsi qu'une partie des fortifications érigées sur les hauteurs du Tönsberg voisin à l'âge du fer pré romain (I-IV s. av. J.-C.). En partant du musée, on peut suivre un circuit présentant différents vestiges historiques.

Westfälisches Freilichtmuseum

Jüngere Epochen der Kulturge-schichte kann man im Westfälischen Freilichtmuseum Detmold erleben. Mehr als 100 originale Gebäude des 15. bis 20. Jh. werden hier gezeigt. Der Gang durch das Museum vermittelt auch ein Gefühl für die verschiedenen Landschaften und ihre Bauformen, wenn man z.B. vom Osnabrücker Hof über den Lippischen Meierhof zum Paderborner Dorf spaziert. Auf diesem Rundgang durch Zeit und Raum wird das Wohnen und Arbeiten der Land-bevölkerung lebendig und es können Bauerngärten und historische Haus-tierrassen bewundert werden.

Westphalian open air museum

The best place to immerse oneself in the social history of the last centuries is the Westphalian open-air museum in Detmold, which includes over 100 original buildings dating from the 15th to the 20th century. The museum conveys a vivid impression of the different landscapes of the area and their various architectural styles; for instance, the Osnabrück homestead, the Lippe dairy farm and the Pader-born village. This journey through time and space admirably illustrates the life and work of the rural population. In addition there are some fine examples of farm gardens and an overview of pets through the ages.

Musée en plein air de Westphalie

Le musée en plein air de Westphalie à Detmold fait revivre des époques plus récentes de l'histoire culturelle. Il montre plus de 100 bâtiments originaux datant du XV au XX siècle. La visite de ce musée donne également une idée des différents paysages et des constructions, par exemple lors d'une promenade de la ferme d'Osnabrück au village de Paderborn en passant par la ferme Meier de la Lippe. Ce parcours fait revivre l'habitat et les travaux de la population rurale et on peut admirer des jardins paysans et des races historiques d'animaux.

Publikumsmagneten des Freilichtmuseums sind die für Westfalens Landschaft charakteristischen Mühlen. Die Wassermühle von 1730/31 verfügt nicht nur über einen Mahlgang zum Schroten und Mahlen von Getreide, sondern auch zum Aufbereiten von Flachs. Die Mühle hatte damit eine große Bedeutung für die Leineweberei. Die urtümliche Bockwindmühle ist erstaunlich jung: 1812 wurde sie gebaut. Sie ist auf einem Bock gelagert und wird mit einem langen Balken an der Rückseite in den Wind gedreht. Beide Mühlen kann man regelmäßig in Betrieb beobachten.

One of the biggest draws for visitors to the open-air museum are the various mills that are such characteristic features of the Westphalian landscape. The water-mill from 1730/31 is not only equipped with millstones for fine and coarse grinding of cereals, but can also process flax, which is why it used to play an important role in the local linen-weaving industry. The quaint post-mill is far younger. Built in 1812, it is mounted on a wooden support and turned into the wind by a long pole attached to the rear. Both mills are in working order and are regularly set in motion.

Les moulins typiques du paysage de Westphalie attirent un public nombreux au musée en plein air. Le moulin à eau de 1730/31 est équipé non seulement pour broyer et moudre les céréales mais aussi pour préparer le lin. Le moulin jouait donc un rôle très important pour le tissage du lin. Le moulin à vent sur pile primitif est étonnamment jeune: il fut construit en 1812. Il est posé sur une pile et orienté vers le vent au moyen d'une longue barre située à l'arrière. On peut régulièrement voir fonctionner ces deux moulins.

Wichtige Kapitel mittelalterlicher Geschichte wurden in Paderborn geschrieben. 776 errichtete Karl der Große über den Paderquellen die „Karlsburg" mit der Königshalle, in der mehrere Reichsversammlungen stattfanden. Der Besuch einer arabischen Gesandtschaft ist ebenso überliefert wie das Treffen mit Papst Leo III. (799). Nach einem Brand im Jahre 1000 wurde eine neue Pfalz errichtet, die dem Herrscher als Residenz während seiner Besuche diente. 1002 wurde Kunigunde, die Gattin des späteren Kaisers Heinrich II., in Paderborn zur Königin gekrönt.

During the Middle Ages, Paderborn frequently found itself the focal point of major historic events. In 776 Charlemagne built a castle, the Karlsburg, above the springs of the river Pader, and many Imperial Diets convened in its Great Hall. Contemporary accounts mention the visit of an Arabian ambassador and a meeting with Pope Leo III in 799. After a fire in the year 1000, a new palace was built for the sovereign. In 1002, Kunigunde was crowned queen here; she was the wife of Heinrich II, later to become Holy Roman Emperor.

D'importants chapitres de l'histoire du Moyen Âge furent écrits à Paderborn. En 776 Charlemagne fit construire aux sources de la Pader le «Karlsburg» avec sa grande salle royale dans laquelle eurent lieu plusieurs réunions impériales. La visite d'une délégation arabe est rapportée ainsi que la rencontre avec le pape Léon III (799). Après un incendie en l'an 1000, on construisit un nouveau palais qui servait de résidence au souverain lors de ses visites. En 1002 Cunégonde, l'épouse du futur empereur Henri II, fut couronnée reine à Paderborn.

Ein weithin sichtbares Zeichen der Christianisierung des Sachsenlandes war der von Karl veranlasste Bau einer Kirche „von staunenswerter Größe", wie ein Zeitgenosse schrieb. In diesem Vorgängerbau des Doms hat 799 Papst Leo III. den Altar geweiht. Im Jahre 836 wurden die Gebeine des Heiligen Liborius aus Le Mans in den Paderborner Dom überführt. Das Liborifest ist bis heute der Höhepunkt des Paderborner Jahreslaufs. Seine jetzige Gestalt erhielt der Dom in den Jahren 1225-1260 durch den Umbau zur gotischen Hallenkirche.

It was Charlemagne who commissioned the building of a church in Paderborn of "astounding size". as a contemporary wrote. Visible far and wide, this predecessor of the present-day cathedral, a symbol of the conversion of the Saxons to Christianity, was consecrated by Pope Leo II in 799. In the year 836 the relics of St Liborius were brought to Paderborn Cathedral from Le Mans, and today the festival of St Liborius is the crowning event of the year in Paderborn. The present Cathedral dates from the period 1225-1260, when it was rebuilt as a Gothic hall church.

La construction initiée par Charlemagne d'une église «d'une taille étonnante», comme l'écrivait un contemporain, était un emblème visible de loin de la christianisation de la région saxonne. Le pape Léon III a consacré l'autel en 799. Les ossements de Saint Liboire originaire du Mans furent transférés en 836 dans la cathédrale de Paderborn. La fête de Liboire reste aujourd'hui encore le moment fort de l'année à Paderborn. La cathédrale reçut sa forme actuelle dans les années 1225-1260, transformée en église-halle gothique.

Wie so viele Bischöfe mussten auch die geistlichen Herren von Paderborn nach Auseinandersetzungen mit der Bürgerschaft ihre Residenzstadt verlassen. Im nahegelegenen Neuhaus schufen sie sich ab dem späten 13. Jh. einen neuen Wohnsitz, den sie bis zur Aufhebung ihrer Fürstenherrschaft 1802 bewohnten. In zwei Bauphasen wurde die mittelalterliche Burg im 16. Jh. zu einem Schloss umgestaltet. Der Südflügel von 1525-26 mit dem Haupteingang gilt als das früheste Bauwerk der Weserrenaissance. Die Rundtürme wurden 1590 hinzugefügt.

Like so many bishops, the spiritual leaders of Paderborn were evicted from the city after quarrels with the citizens. From the late 13th century the bishops found an alternative domicile in nearby Neuhaus, where the newly-constructed Bishop's Palace served as their place of residence until they were deprived of their political powers in 1802. In the 16th century, the medieval castle was converted to a palace in two building phases. The south wing and main portal (1525-26), are the earliest examples of Weser Renaissance architecture. The round towers were added in 1590.

Comme beaucoup d'évêques, les dignités religieuses de Paderborn durent quitter leur ville de résidence à cause de conflits avec les citoyens. Ils créèrent à partir du XIII siècle une nouvelle résidence qu'ils habitèrent jusqu'à la suspension de leur souveraineté en 1802. Au XVI siècle, le château du Moyen Âge fut transformé en deux étapes en un castel. L'aile sud datant de 1525/26 avec son entrée principale est considérée comme la plus ancienne construction de la «Renaissance de la Weser». Les tours d'angle rondes furent rajoutées en 1590.

BAD LIPPSPRINGE
Lippequelle und Arminiusquelle

Schon im Zusammenhang mit den Feldzügen Karls des Großen wird Lippspringe bei Paderborn erwähnt. 1832 entdeckte man unmittelbar neben der Lippequelle eine warme Mineralquelle, die Arminiusquelle, der das Städtchen den Aufstieg zum Kurort verdankt.

The first reference to Lippspringe can be found in connection with the campaigns of Charlemagne, but not until 1832 was a warm mineral spring discovered near the source of the Lippe. Named the Arminius spring, it was due to its healing properties that Lippspringe gained the status of a spa town.

Dans les récits des campagnes de Charlemagne, on citait déjà Lippspringe près de Paderborn. On découvrit en 1832 tout près de la source de la Lippe une source d'eau chaude, la «source Arminius», à qui la petite ville doit son ascension comme ville thermale.

ALTENBEKEN
mit Blick zum Teutoburger Wald

Die Einrichtung der Eisenbahnstrecke von Paderborn nach Kassel machte den Bau des Viadukts bei Altenbeken notwendig. 482 Meter lang und an der tiefsten Stelle des Tales 35 Meter hoch ist diese Steinbrücke, die 1853 durch König Friedrich Wilhelm IV. von Preußen eingeweiht wurde.

The building of the railway line from Paderborn to Kassel required the construction of a viaduct near Altenbeken. The stone viaduct is 482 metres long and 35 m high at the lowest point of the valley. It was opened in 1853 by King Friedrich Wilhelm IV of Prussia.

L'ouverture d'une ligne de chemin de fer de Paderborn à Kassel rendit nécessaire la construction d'un viaduc près d'Altenbeken. Ce pont de pierre mesure 482 m de long et 35 m de haut au point le plus profond de la vallée. Il fut inauguré en 1853 par le roi Frédéric Guillaume IV de Prusse.

Das Eggegebirge schließt in südlicher Richtung an den Teutoburger Wald an. Bekanntester Ort dieses Gebietes ist Bad Driburg. Hier erwarb 1783 Herr von Sierstorpff die Rechte an den heilkräftigen Mineralquellen, und noch heute sind die staatlich anerkannten Kuranlagen im Besitz seiner Nachkommen. – 823 schenkte Kaiser Ludwig der Fromme dem neugegründeten Kloster Corvey einen Hof im Dorf „Huxori", Höxter. Aus diesem Dorf entwickelte sich, dank seiner Lage an einer Weserfurt, eines der bedeutendsten mittelalterlichen Handelszentren der Region.

To the south, the Egge mountains border on the Teutoburg Forest. The best-known town of this area is Bad Driburg, and it was here, in 1783, that Herr von Sierstorpff purchased the rights to the medicinal springs. Even today, the state-registered spa facilities are owned by his descendants. – In 823, Emperor Ludwig the Pious presented the newly founded abbey of Corvey with a farm in the village of Huxori, present-day Höxter. Thanks to its position on a ford on the Weser, this village became one of the most important medieval trading posts of the region.

Le «Eggegebirge» est un massif adossé au sud à la forêt de Teutoburg, sa localité la plus connue est Bad Driburg. En 1783 Monsieur de Sierstorpff acquit les droits de la source minérale curative, les installations thermales reconnues par l'état sont aujourd'hui encore la propriété de ses descendants. – En 823 l'empereur Louis le Pieux offrit à l'abbaye de Corvey nouvellement fondée une ferme dans le village «Huxori», Höxter. Ce village, situé sur un gué de la Weser, devint au Moyen Âge l'un des centres commerciaux les plus importants de la région.

CORVEY bei Höxter, Abtei
Westwerk der Abteikirche

Zwei Vettern von Karl des Großen, Abt Adalhard von Corbie und sein Bruder Wala, gründeten 822 bei Höxter an der Weser ein Kloster, dass nach seinem französischen Mutterhaus Corbie den Namen Corvey erhielt. Es wurde zum kulturellen Mittelpunkt des Sachsenlandes. Das mächtige Westwerk der Abteikirche aus dem 9. Jh. zeugt von dieser Blütezeit. 23 norddeutsche Bischöfe des Mittelalters gingen aus Corvey hervor. Auch Papst Gregor V., der 996 seinen Vetter Otto III. zum Kaiser krönte, soll hier der Legende nach zeitweise Mönch gewesen sein.

In 822, two of Charlemagne's cousins, Abbot Adalhard of Corbie and his brother Wala, founded an abbey near Höxter on the Weser. It was named Corvey Abbey after Corbie, the mother house in France, and was destined to become a cultural centre of the Saxon lands. The Abbey's power and influence are reflected in its architecture, as in this massive west wall of the church, dating from the 9th century. In the Middle Ages no less than 23 North German bishops came from Corvey. Legend relates that at one time Pope Gregory V, who in 996 crowned his cousin Otto III as Emperor, was also a monk here.

Deux cousins de Charlemagne, l'abbé Adalhard de Corbie et son frère Wala, fondèrent en 822 près de Höxter sur la Weser une abbaye qui doit son nom de Corvey à leur maison maternelle française Corbie. Elle devint le centre culturel de la région saxonne. L'imposante partie ouest de l'église du couvent (IX s.) témoigne de cette prospérité. 23 évêques du Moyen Âge originaires du nord de l'Allemagne ont été formés à Corvey. Le pape Grégoire V, qui couronna empereur son cousin Otto III en 996, aurait été selon la légende quelque temps moine à Corvey.

Seit 1127 gehörten die Grafen von Schwalenberg zu den mächtigsten Adelsgeschlechtern Ostwestfalens, doch 1322/1350 mussten die in Geldnöte geratenen gräflichen Brüder Günther und Heinrich ihre Erbteile an die Edelherren zur Lippe verkaufen. Die Bürger des nunmehr lippischen Städtchens Schwalenberg errichteten 1579 mit ihrem neuen Rathaus eines der schönsten Fachwerkgebäude der Weserrenaissance. – Die Emmer, die bei Bad Driburg im Eggegebirge entspringt und bei Hameln in die Weser mündet, speist seit 1982 den beliebten Emmerstausee.

From 1127, the Counts of Schwalenberg were a leading aristocratic family in East Westphalia, but between 1322 and 1350 the brothers Count Günther and Count Heinrich, finding themselves in financial difficulties, sold their inheritance to the Lords of Lippe and Schwalenberg. Schwalenberg's New Town Hall, built in 1579, is one of the most attractive half-timbered buildings of the Weser Renaissance. – The River Emmer rises near Bad Driburg, in the Egge mountains, and flows into the Weser near Hameln. Since 1982 it has also fed the waters of the popular Emmer reservoir.

Les comtes de Schwalenberg font partie depuis 1127 des familles les plus puissantes de Westphalie orientale, néanmoins de 1322 à 1350 les frères Günther et Heinrich, manquant d'argent, durent vendre leurs parts d'héritage aux seigneurs de Lippe. Les citoyens de Schwalenberg érigèrent en 1579 leur nouvel hôtel de ville, l'un des plus beaux édifices à colombages de style «Renaissance de la Weser». – La rivière Emmer, qui prend sa source près de Bad Driburg et se jette dans la Weser près de Hameln, alimente depuis 1982 le barrage «Emmerstausee».

Bielefeld und Paderborn mögen bevölkerungsreichere Städte sein, doch Detmold ist als Sitz der Bezirksregierung (Folgeseiten) die Hauptstadt Ostwestfalen-Lippes. Ein lebendiges Erbe des ehemaligen Fürstentums Lippe sind kulturelle Einrichtungen wie beispielsweise das Lippische Landestheater (Bildrand links) und das Landesmuseum (unten links), besonders aber das Schloss mit seiner großzügigen Parkanlage. Auch die langen Reihen wohlerhaltener Bürgerhäuser aus 450 Jahren bestätigen das alte Volkslied: „Lippe-Detmold, eine wunderschöne Stadt".

Bielefeld and Paderborn may well be more populous towns, but Detmold is nevertheless the seat of the district administration (above, right) and therefore, the capital of East Westphalia-Lippe. Cultural foundations like the Lippische Landestheater (state theatre, centre left), the Landesmuseum (regional museum, below left) and of course Schloss Detmold, with its extensive grounds, date from the time when Detmold was ruled by aristocrats. The long rows of historic, well-kept burghers' houses confirm the words of an old folk song; "Lippe-Detmold is a wonderful town".

Même si Bielefeld et Paderborn sont les villes les plus peuplées, Detmold, siège du gouvernement régional (en haut à droite), est la capitale de la Westphalie orientale-Lippe. Des institutions culturelles telles que le théâtre de la région de Lippe, le musée du Land (en bas à gauche), et surtout le palais avec son vaste parc, sont de vivants témoignages de l'ancienne principauté de Lippe. Les rangées de maisons bourgeoises bien conservées depuis 450 ans confirment ce que dit la vieille chanson populaire: «Lippe-Detmold, une ville magnifique».

Der letzte Fürst zur Lippe musste 1918 abdanken, doch die Popularität des Fürstenhauses ist bis heute ungebrochen. Hauptsitz der ursprünglich aus der Gegend von Lippstadt stammenden Familie ist seit etwa 1450 die Stadt Detmold. Als die mittelalterliche Burg nicht mehr den Bedürfnissen entsprach, ließ Bernhard VIII. zur Lippe das alte Gebäude bis auf den Bergfried (links) abtragen und 1548-1557 durch einen Neubau im Renaissancestil ersetzen. Es ist das letzte Werk des Baumeisters Jörg Unkair, der auch am Schloss Neuhaus bei Paderborn tätig war.

The last Duke of Lippe abdicated in 1918, but the popularity of the local aristocracy remains undiminished. The family originally resided in the area of Lippstadt, but after 1450, the principal seat of the dukes was transferred to Detmold. When the medieval castle proved insufficient for the family's needs, Bernhard VIII of Lippe had most of it demolished apart from the keep (photo left), replacing it with a Renaissance palace. Constructed between 1548 and 1557, this was the last work of master builder Jörg Unkair, who had previously worked on Schloss Neuhaus near Paderborn.

Le dernier prince de Lippe dut démissionner en 1918 mais la popularité de la maison princière resta intacte. Detmold est depuis 1450 le lieu de résidence de la famille Lippe, originaire de la région de Lippstadt. Lorsque le château moyenâgeux ne répondit plus à ses besoins, Bernhard VIII de Lippe fit déplacer, à l'exception du donjon (à gauche), le vieux bâtiment qui fut remplacé par une construction de style Renaissance (1548-1557). C'est la dernière œuvre de l'architecte Jörg Unkair qui avait travaillé auparavant au palais Neuhaus près de Paderborn.

DETMOLD, Ahnensaal im Schloss

Den lippischen Edelherren (Grafen ab 1528 und Fürsten seit 1789) gelang es durch Krisen und Kriege hindurch die Selbständigkeit ihres kleinen Landes zu bewahren. Im 1882 gestalteten Ahnensaal des Detmolder Schlosses kann man sich die lange Reihe der Landesväter und -mütter vor Augen führen, darunter so unterschiedliche Persönlichkeiten wie Bernhard VII. (1428-1511), der die Fehden und die Frauen liebte, sein gelehrter und kunstverständiger Urenkel Simon VI. (1554-1613) und die wegen ihrer sozialen Reformen verehrte Fürstin Pauline (1769-1820).

Schloss Detmold, ancestors' gallery

The noblemen of Lippe, including counts (from 1528) and dukes (from 1789), managed to preserve the independence of their tiny state despite recurrent crises and wars. In Schloss Detmold, the ancestors' gallery from 1882 displays a framed procession of local aristocrats, male and female. Among them are such differing personalities as Bernhard VII (1428-1511), who devoted his life to women and feuds, Simon VI (1554-1613), Ferdinand's scholarly great-grandson and patron of the arts, and the Duchess Pauline (1769-1830), celebrated for her commitment to social reforms.

Château Detmold, salle des ancêtres

Les seigneurs de la famille Lippe, comtes (1528) et princes (depuis 1789) réussirent à préserver, malgré les crises et les guerres, l'indépendance de leur petit territoire. Dans la salle des ancêtres du palais de Detmold, aménagée en 1882, on peut contempler la longue suite des souverains et souveraines, parmi eux des personnalités aussi différentes que Bernhard VII (1428-1511), qui aimait les défis et les femmes, son arrière petit fils instruit et amateur d'art Simon VI (1554-1613) et la princesse Pauline, honorée pour ses réformes sociales (1769-1820).

Die im Raum Meinberg durch vulkanische Vorgänge aufgewölbten Sandsteinschichten bilden einen idealen Speicher für das Kohlensäuregas, das aus den darunter liegenden Lavagesteinen entweicht. 1676 wurden die Meinberger Kohlensäurequellen erstmals von einem Arzt beschrieben. An den barocken Kurpark mit dem Brunnentempel (Bildmitte) schließen sich heute jüngere Landschaftsgärten an. – Vor den Toren Lemgos liegt das 1584-1591 durch Simon VI. zur Lippe erbaute Schloss Brake, das heute das Weserrenaissance-Museum beherbergt.

The sandstone strata around Meinberg were created by volcanic activity, and the vaulted formations make an ideal storage space for the carbon dioxide gas which escapes from the solidified lava below. Meinberg's carbon dioxide springs were first described by a doctor in 1676. Today the visitor can enjoy the Baroque spa park, the thermal springs, now covered by a temple (photo centre) and the later landscaped gardens. – Schloss Brake stands at the entrance to Lemgo. Built by Simon VI of Lippe between 1584 and 1591, it now houses the Weser-Renaissance Museum.

Dans la région de Meinberg, les couches de grès soulevées par des processus volcaniques offrent des cavités idéales pour stocker l'acide carbonique s'échappant des roches volcaniques. Les sources d'acide carbonique de Meinberg furent décrites pour la première fois en 1676 par un médecin. Le parc des thermes baroque avec sa source (centre de la photo) se poursuit aujourd'hui par des jardins plus récents. – Aux portes de Lemgo, le Schloss Brake, construit de 1584 à 1591 par Simon VI de Lippe abrite le «Musée de la Renaissance de la Weser».

Das Luftbild zeigt die planmäßige Anlage der Stadt Lemgo, die um 1190 durch Bernhard II. zur Lippe an einem alten Handelsweg gegründet wurde. Als einziges Gotteshaus Lippes verfügt die Stadtkirche St. Nicolai - um 1220 errichtet und um 1300 erweitert - über zwei Türme, sichtbares Zeichen des durch den Tuchhandel erworbenen Wohlstandes. Das mittelalterliche Rathaus erhielt in der Zeit der Weserrenaissance (1550-1620) durch Umbauten seine heutige eindrucksvolle Gestalt. Sinnbilder der sieben freien Künste zieren den linken Rathauserker von 1589.

This aerial photo shows how Lemgo was planned on a grid system. The first community here was founded by Bernhard II of Lippe in 1190, on an ancient trading route. The Church of St Nicholas, built in 1220 and extended in 1300, is the only ecclesiastical building in Lippe to have two towers, a sign of the wealth that Lemgo enjoyed through its flourishing textile trade. The medieval town hall underwent considerable alterations during the time of the Weser Renaissance (1550-1620). The embellishments on the bay window on the left (1589) symbolise the seven liberal arts.

La vue aérienne montre la construction planifiée de la ville de Lemgo, fondée vers 1190 par Bernhard II de Lippe sur une ancienne route commerciale. L'église St Nicolas, construite vers 1220 et agrandie vers 1300, est la seule église du pays de Lippe à posséder deux tours de clochers, symbole de la prospérité acquise grâce au commerce du lin. L'hôtel de ville du Moyen Âge fut transformé à l'époque de la «Renaissance de la Weser» (1550-1620). L'encorbellement gauche de l'hôtel de ville, de 1589, est orné d'un relief représentant les sept arts libres.

LEMGO, Hexenbürgermeisterhaus

Steinerne Kaufmannshäuser prägen den Stadtkern von Lemgo. Ein Beispiel ist das im Jahre 1568/71 erbaute Haus des Bürgermeisters Cruwel an der Breiten Straße. Einem späteren Besitzer, dem Bürgermeister Cothmann, der 1665-1681 die letzten Lemgoer Hexenprozesse führte, verdankt es die Bezeichnung „Hexenbürgermeisterhaus". Es wird heute als Museum genutzt.

These impressive stone burgher's dwellings are typical of the townscape of Lemgo. An especially imposing example is Mayor Cruwel's house in Breite Strasse, built between 1568 and 1571. A later owner, Mayor Cothmann, was responsible for Lemgo's last witch trials, held from 1665-1681, and as a result the property became known as the Witch Mayor's House. These days it houses the town museum.

Des maisons de commerçants en pierre façonnent le centre de Lemgo. Le maire Cruwel en construisit une particulièrement impressionnante sur la rue «Breite Strasse» (1568/71). Elle doit son nom de «Maison du maire aux sorcières» au maire Cothmann, qui dirigea de 1665 à 1681 les dernières chasses aux sorcières à Lemgo. Elle abrite aujourd'hui le musée de la ville.

LAGE, Blick auf die Werrelandschaft

Die an der Werre gelegene Stadt Lage war im 19. Jh. das Zentrum der lippischen Wanderziegler und ist heute in der Region bekannt für die Verarbeitung von Zuckerrüben.

n the 19th century, the town of Lage, on the river Werre, was a centre for the peripatetic brickmakers of Lippe. Nowadays it is best known for its substantial sugar beet industry.

La ville de Lage sur la Werre était au XIX siècle le centre des tuiliers ambulants de Lippe, cette région est aujourd'hui connue pour la transformation des betteraves.

Erst 1488 durch Bernhard VII. zur Lippe mit Stadtrechten versehen, erlebte Salzuflen durch den Salzhandel einen rasanten Aufschwung, der sich an dem erhaltenen Bestand reich geschmückter Renaissancebauten nachvollziehen lässt. – Das 1545/47 im spätgotischen Stil erbaute Rathaus von Salzuflen erhielt um 1580 seine repräsentative Renaissancefassade. 1818 wurde der Badebetrieb wieder aufgenommen und die Bezeichnung „Bad Salzuflen" verliehen. Bekannt wurde die Stadt auch durch die 1850 gegründeten „Hoffmann's Stärkefabriken".

It was not until the year 1488, when Bernhard VII of Lippe granted the town a charter, that Salzuflen first began to flourish as a centre of the salt industry. The town's rapid rise to prosperity is amply illustrated by the many remaining Renaissance buildings, with their richly ornamented facades. – Bad Salzuflen town hall was built in late Gothic style between 1545 and 1547, but it was not until 1580 that the ornamental Renaissance facade was added. After the town was given the official status of a health resort in 1818, it began to enjoy a second period of prosperity.

Bernhard VII de Lippe octroya ses droits à la ville de Salzuflen en 1488, elle prit grâce au commerce du sel un essor très rapide dont témoignent les bâtiments Renaissance bien conservés et richement ornés. – L'hôtel de ville de Salzuflen, construit entre 1545 et 1547 dans le style gothique tardif, reçut en 1580 sa façade Renaissance. Avec les débuts du thermalisme en 1818, la ville retrouva la prospérité qu'elle avait connue auparavant. Salzuflen reçut l'appellation «Bad Salzuflen».

Im Mittelalter besaßen Adlige, Bürger und Klöster aus ganz Ostwestfalen Anteile am Salzufler Salzwerk, sogar das weit entfernte Corvey. Erst 1766 ging die Saline in den alleinigen Besitz der Grafen zur Lippe über. Salz wird heute in Salzuflen nicht mehr produziert, aber die Salzquellen speisen noch immer die Thermalbäder. Die Heilquellen kommen aus Erdschichten der Keuperzeit (vor ca. 220 Millionen Jahren) in unterschiedlichen Bohrtiefen zwischen 9 und 1018 Metern.

In the Middle Ages, aristocrats, burghers and monks throughout East Westphalia all possessed a share of the ownership of the Salzuflen salt factory, and this even included the distant abbey of Corvey. Not until 1766 did the whole salt manufactory operation come under the exclusive ownership of the Counts of Lippe. Salt is no longer produced in Bad Salzuflen, but the saline springs still feed the spa's thermal springs which bubble up from strata dating from the Upper Triassic age, laid down about 220 million years ago. The depth of the boreholes ranges from 9 to 1018 metres.

Au Moyen Âge, les nobles, les bourgeois et les couvents de toute la Westphalie orientale possédaient des parts de la mine de sel de Salzuflen, même le couvent Corvey fort éloigné. En 1766 les salines devinrent propriété des comtes de Lippe. Aujourd'hui Salzuflen ne produit plus de sel mais les sources salines alimentent toujours les thermes. Elles proviennent de couches de sédiments du trias (il y a environ 220 millions d'années) et sont puisées entre 9 et 1018 mètres de profondeur.

Die Römer kannten die Weser als „flumen Visurgis", in mittelalterlichen Urkunden heißt sie „Wisura", später „Wisara". Aus der römischen Kaiserzeit stammen die ältesten von Archäologen entdeckten Weserschiffe, schlichte Einbäume. Damals begann man auch, die Weserufer zu entwalden, um Platz zu schaffen für Treidelwege, von wo aus man die Schiffe gegen die Strömung mit Menschen- und Pferdekraft zog. Bei der „Talfahrt" in Richtung Wesermündung fuhren die Schiffe mit der Strömung.

To the Romans, the River Weser was known as the "flumen Visurgis", while in charters dating from the Middle Ages it was named the "Wisura", later the "Wisara". The oldest river craft to have been discovered by archaeologists here are primitive dug-out canoes dating from the time of the Roman Empire. At this time the shores of the Weser were first cleared of woodland so that boats could be pulled upstream by means of manpower and horsepower. Towed boats were a common sight until quite recently; in comparison, navigating downstream seemed a leisurely activity.

Les Romains connaissaient la Weser comme «flumen Visurgis», dans les documents moyen-âgeux elle s'appelle "Wisura", plus tard "Wisara". Les plus anciens bateaux de la Weser, de simples pirogues, datent de l'Empire romain. A cette époque, on commença à déboiser les rives de la Weser afin de pouvoir tirer à contre-courant des bateaux, «haler», comme on continua à le faire jusqu'à l'époque moderne. La descente vers l'aval, en direction de l'embouchure de la Weser, nécessitait toujours moins d'efforts.

Für den Platz bei Barkhausen, an dem der Weserstrom den Höhenzug von Wiehengebirge und Weserbergland durchstößt, haben Gelehrte um 1800 den Namen Porta Westfalica, „westfälische Pforte", geprägt. Den Berg, der sich an dieser Stelle über der Weser erhebt, bringt die Sage als „Wittekindsberg" mit dem sächsischen Heerführer Widukind in Verbindung. Zu Ehren des 1888 verstorbenen Kaisers Wilhelm I. ließ die westfälische Provinzialregierung auf dem Wittekindsberg 1892-1896 ein 88 Meter hohes Denkmal errichten.

Here, near Barkhausen, we see the point at which the River Weser breaks through the heights of the Wiehen mountains and the Weser plateau. In about 1800, scholars christened this spot the Porta Westfalica, the gateway to Westphalia. Legend relates that the distinctive peak above the Weser is named Wittekindsberg, which implies a direct connection with the Saxon army commander Widukind. The Westphalian provincial government erected an 88-metre high memorial here between 1892 and 1896 in honour of Kaiser Wilhem I, who had died in 1888.

Les érudits ont attribué vers 1800 le nom de Porta Westfalica, «Porte de Westphalie», à l'endroit près de Barkhausen où la Weser a fait une trouée dans les monts du Weser et du Wiehengebirge. Selon la légende, il faudrait faire le lien entre le nom du mont dressé au-dessus de la Weser «Wittekindsberg» et celui du chef militaire saxon Widukind. En hommage à l'empereur Guillaume Ier, mort en 1888, le gouvernement régional de Westphalie a érigé de 1892 à 1896 un mémorial de 88 mètres de haut au sommet du Wittekindsberg.

In der Nähe des Dorfes Rehme, in dem seit 1751 Salz gefördert wurde, entdeckte der preußische Oberbergrat Carl von Oeynhausen 1839 eine Mineralquelle. König Friedrich Wilhelm IV., der Rehme von Besuchen her kannte, bemühte sich persönlich um die Gründung eines Kurortes und verlieh ihm den Namen des Entdeckers der Quelle: Bad Oeynhausen. Zum Prunkstück der mondänen Anlagen wurde das 1908 eingeweihte königliche Kurhaus, ein schlossähnlicher Bau im Stil des Historismus. Seit 1980 beherbergt das Kurhaus ein Spielcasino.

Salt had been produced in the village of Rehme since 1751, but in 1839, a Prussian aristocrat named Carl von Oeynhausen discovered a mineral spring nearby. King Friedrich Wilhelm IV, who knew Rehme from former visits, was personally involved in the founding of a spa town on this site and named it after the original discoverer of the healing waters: Bad Oeynhausen. The palatial royal assembly rooms, built in classical style, were completed in 1908, and became the showpiece of the elegant spa facilities. Since 1980 there has been a casino in the assembly rooms.

Près du village de Rehme, où l'on extrayait du sel depuis 1751, le conseiller supérieur des mines prussien Carl de Oeynhausen découvrit en 1839 une source d'eau minérale. Le roi Frédéric Guillaume IV, qui avait déjà visité Rehme, se consacra personnellement à la fondation d'une station thermale et lui attribua le nom du découvreur de la source: «Bad Oeynhausen». L'établissement thermal royal inauguré en 1908, ressemblant à un palais, est admirable. Il abrite depuis 1980 le casino.

Um 800 gründete der Heilige Waltger, ein Verwandter Karls des Großen, das Frauenkloster in Herford. Die um 895 geborene spätere Königin Mathilde, Gemahlin König Heinrichs I. und Mutter Kaiser Ottos des Großen, wurde von den Herforder Nonnen erzogen. Trotz der Nachbarschaft zur altehrwürdigen Abtei wandte sich die Bürgerschaft der Stadt Herford um 1530 der Reformation zu. Mit frommen plattdeutschen und lateinischen Inschriften gab sich auch der Bauherr dieses Bürgerhauses der Zeit um 1550 als Anhänger der Lehren Martin Luthers zu erkennen.

In about 800, St Waltger, a relative of Charlemagne's, founded a convent in Herford. One of those educated by the nuns of Herford was Mathilde, born in 895 and later to become Queen Mathilde, wife of Heinrich I and the mother of Emperor Otto the Great. Despite the proximity of this time-honoured religious institution, the citizens of Herford supported the Protestant Reformation in 1530. The builder of this burgher's house, dating from about 1550, revealed himself a supporter of the tenets of Martin Luther by a display of pious Low German and Latin inscriptions.

Saint Waltger, de la famille de Charlemagne, fonda vers 800 l'abbaye pour femmes à Herford. Mathilde, née en 895, future reine, épouse du roi Henri Ier et mère de l'empereur Othon le Grand, fut élevée par les nonnes de Herford. Malgré son voisinage avec cette vénérable abbaye, les citoyens de Herford se tournèrent aux alentours de 1530 vers la Réformation. Par des inscriptions pieuses en bas-allemand et en latin, l'architecte de cette maison bourgeoise construite vers 1550 se reconnaît comme un disciple des enseignements de Luther.

HERFORD, Widukinds-Denkmal

Neben Arminius wurde auch der im Jahre 785 getaufte sächsische Heerführer Widukind im 19. Jahrhundert als Freiheitskämpfer zum volkstümlichen Helden. Die Herforder Bürger fühlten sich Widukind besonders verbunden, da er der Sage nach im benachbarten Enger seine letzten Jahre verbracht hat, und setzten ihm 1896 ein Denkmal. Der Bildhauer Heinrich Wefing versah seinen Widukind mit einem Flügelhelm und knüpfte damit einen sichtbaren Bezug zum Hermannsdenkmal.

Herford, Widukind memorial

Besides Arminius, there was another warrior hero who was celebrated in the 19th century as a native freedom fighter; the Saxon commander Widukind, a convert to Christianity who was baptised in the year 785. The people of Herford held the figure of Widukind in special regard, because, as legend relates, he spent his last years in nearby Enger, and in 1896 they erected a memorial to him. The sculptor, Heinrich Wefing, gave Widukind a winged helmet, setting up an obvious association between this work and the Hermann memorial.

Herford, monument de Widukind

Le chef militaire saxon Widukind, baptisé en 785, devint au XIX siècle, comme Arminius, un héros populaire, combattant de la liberté. Les citoyens de Herford se sentaient particulièrement attachés à Widukind, car, selon la légende, il avait passé ses dernières années dans la ville voisine de Enger et ils lui érigèrent un mémorial en 1896. Le sculpteur Heinrich Wefing coiffa son Widukind d'un casque à ailes, faisant référence de façon manifeste au Hermannsdenkmal.

Von den Stiftsherren in Enger wurde Widukind als Urahn der Königin Mathilde, der 968 verstorbenen Gründerin des Stiftes, verehrt. Um 1100 schuf daher ein unbekannter Bildhauer eine Reliefplatte für das sagenumwobene Widukindsgrab in der Stiftskirche. Er stellte Widukind als christlichen Herrscher dar und bezeichnete ihn in der lateinischen Inschrift als König der Engern, des beiderseits der Weser lebenden sächsischen Volksstammes. – Die königlich-preußische Windmühle von 1756 auf dem Liesberg ist ein weiteres Wahrzeichen der Stadt Enger.

Enger Abbey was founded by Queen Mathilde, who died in 968. As one of her distant ancestors, the saintly Widukind was therefore revered by the abbots, and in about 1100, an unknown sculptor created a relief for the legendary site of Widukind's grave in the Abbey church. He portrayed Widukind as a Christian ruler, while a Latin inscription describes him as king of the Enger, a Saxon tribe which inhabited the lands each side of the River Weser. – The royal Prussian windmill on Liesberg hill, dating from 1756, is a further landmark of the town of Enger.

Les chanoines de Enger vénéraient Widukind en tant qu'ancêtre lointain de la reine Mathilde, fondatrice du couvent, décédée en 968. Un sculpteur inconnu créa pour cette raison un bas-relief destiné au tombeau de Widukind dans l'église collégiale. Il représentait Widukind comme souverain chrétien et l'inscription en latin le décrivait comme le roi des Engern, la tribu saxonne qui vivait des deux côtés de la Weser. – Le moulin à vent royal prussien de 1756 sur le mont Liesberg est un autre emblême de la ville de Enger.

Mittelpunkt der großen Höfe des Ravensberger Landes, wie hier in Westerenger, war ein großzügiger Fachwerkbau mit der befahrbaren hohen „Deele" (Halle). Diesen Typus des Hallenhauses trifft man in ganz Westfalen und weiten Teilen Niedersachsens an. Am Ende der Deele befand sich das „Flett", der Küchenbereich mit der offenen Herdstelle; beiderseits der Deele lagen die Kuh- und Pferdeställe. Seit dem 17. Jh. wurden die Hallenhäuser nach hinten um komfortablere Wohnbereiche mit einer ofenbeheizten Stube und Schlafkammern erweitert.

The great homesteads of the Ravensberg region were centred around a spacious half-timbered building with a "Deele", or great hall, accessible to horse-drawn vehicles. This type of house can be seen all over Westphalia and in many parts of Lower Saxony. At one end of the "Deele" was a so-called "Flett", consisting of a cooking area with an open hearth, while the cowsheds and stables were situated to either side of the "Deele". After the 17th century, these mansions were extended to the rear by adding more comfortable living areas with an oven-heated parlour and bedrooms.

Les grandes fermes de la région de Ravensberg, comme ici à Westerenger, avaient au centre un bâtiment à colombages avec une haute galerie. On rencontre ce type de maisons dans toute la Westphalie et dans de nombreux endroits en Basse-Saxe. A l'extrémité de la galerie se trouvait le «Flett» réservé à la cuisine avec un foyer ouvert; l'étable et l'écurie se trouvaient de chaque côté de la galerie. Ces maisons furent agrandies à partir du XVII s. par un espace habitable plus confortable avec une pièce chauffée par un poêle et des chambres à coucher.

„Die freundliche Baustelle am Teutoburger Wald", so charakterisieren mit ostwestfälischem Humor die Bielefelder ihre Stadt, immerhin das Oberzentrum der Region mit mehr als 315.000 Einwohnern. Das vielseitige Bild des traditionsreichen Gewerbestandortes mit seiner jungen Universität wird abgerundet durch bedeutende mittelalterliche Bauten: die Sparrenburg (untere Bildhälfte, mit rundem Turm), die Neustädter Stiftskirche St. Marien (Bildmitte, mit zwei Türmen) und die Altstädter Stadtkirche St. Nicolai (oberer Bildrand, mit einem Turm).

"The friendly building site in the Teutoburg Forest", is how the people of Bielefeld, with typical East Westphalian humour, describe their town. Bielefeld has over 315,000 inhabitants and is the most important town of the region. It is also a place of great diversity. Many aspects of its heritage are connected with the former textile industry, and the modern university is offset by notable medieval buildings such as Sparrenburg Castle (round tower, below), the collegiate church of St Mary, (two towers, centre) and the church of St Nicholas in the Old Town (one tower, above).

«Le sympathique chantier de la forêt de Teutoburg», c'est ainsi que les habitants de Bielefeld, avec l'humour de leur région, caractérisent leur ville, le grand centre de la région avec plus de 315 000 habitants. L'aspect varié de la ville commerçante riche en traditions, avec sa jeune université, est complété par des édifices moyenâgeux remarquables: le château de Sparrenburg (partie inférieure de la photo, avec sa tour ronde), l'église collégiale Ste Marie (au centre, avec ses deux tours) et l'église St Nicolas (en haut, avec une tour).

Im Jahre 1910 erwarb die Stadt Bielefeld das Gelände am Südhang des Kahlenberges samt einem Fachwerkhaus von 1823, um hier nach Plänen des Gartenbaudirektors Meyerkamp den Botanischen Garten anzulegen. So entstand zwischen Johannisfriedhof und Tierpark Olderdissen eine frei zugängliche Anlage mit Heide- und Berggärten, heimischen Arznei- und Gewürzpflanzen, Rhododendren, Seerosen, seltenen Bäumen und vielen anderen Attraktionen, mit fachlichen Erläuterungen.

In 1910, the town of Bielefeld bought the land on the southern slopes of the Kahlenberg, and with it a half-timbered house built in 1823. This was the chosen site of the new botanical gardens, the brainchild of the town's horticultural director Meyerkamp. Between the Johannes cemetery and Olderdissen zoo, a freely accessible area was created which now contains heath gardens, mountain gardens, herb gardens, medicinal gardens, rhododendrons, water lilies, rare trees and other attractions. Visitors welcome the exemplary explanations by specialised staff.

Bielefeld acquit en 1910 le terrain situé sur le versant sud du mont Kahlenberg et la maison à colombages de 1823 qui s'y trouvait, afin d'aménager un jardin botanique d'après les plans du jardinier Meyerkamp. Ainsi fut créé entre le cimetière Johannis et le jardin zoologique Olderdissen un parc avec des jardins de landes et de montagne, des plantes médicinales et des épices de la région, des rhododendrons, des nénuphars, des essences rares et dont la présentation est qualifiée d'exemplaire par les spécialistes.

Durch eine im Jahre 1256 von einem Ravensberger Graf ausgestellte Urkunde wurde das Baujahr der Burg ziemlich genau überliefert, die Burg war kurz zuvor außerhalb der Stadtmauern Bielefelds errichtet worden. Von den ursprünglichen Bauten sind nur Teile des rekonstruierten Bergfrieds (rechts) erhalten. Ihre heutige Gestalt erhielt die Burg erst Mitte des 16. Jh., als sie durch Herzog Wilhelm IV. von Kleve mit runden und spitzen Bollwerken zur modernen Festung ausgebaut wurde. Seit 1609 war die Sparrenburg in brandenburgisch-preußischem Besitz.

In the year 1256, one of the Counts of Ravensberg issued a charter for Sparrenburg, a castle that had been erected a few years previously outside the town defences of Bielefeld. Nothing remains of the original castle except for a reconstruction of sections of the keep (see photo right). The present-day building dates from a later period, for in the 16th century the castle was modernised by Wilhelm IV of Kleve, who extended it to create a fortress with curved and angled bulwarks. After 1609, Sparrenburg castle passed to Brandenburg-Prussian ownership.

En 1256 un comte de Ravensberg exposa pour la première fois un document sur le Sparrenburg; le château avait été érigé peu de temps auparavant en dehors des murs de Bielefeld. Des batiments d'origine ne subsistent que des parties du donjon reconstruit (à droite). Le château reçut son aspect actuel au milieu du XVI siècle, lorsqu'il fut transformé en forteresse moderne par le duc Guillaume IV de Clèves, avec des tours rondes et pointues. Le château de Sparrenburg était depuis 1609 en possession prusso-brandebourgeoise.

Durch die Leineweberei und Herstellung von Leinenwäsche ist Bielefeld seit dem 17. Jh. groß geworden. Dem Wohlstand der Unternehmer und des bürgerlichen Mittelstandes stand das entbehrungsreiche Leben der Arbeiter in der Stadt und den umliegenden Dörfern gegenüber. Im 19. Jh. wurde den Bielefelder Bürgern die mittelalterliche Stadtmauer zu eng. In der Feldmark entstanden neue Stadtviertel, wie hier im Bielefelder Westen um die 1895 errichtete Johanniskirche mit zahlreichen Mietshäusern der Gründerzeit.

Bielefeld expanded rapidly in the 17th century with the establishment of the linen weaving industry and the production of linen garments. The wealth of the manufacturers and the burghers stood in striking contrast to the impoverished lives of the labourers in both the urban and the rural communities. In the 19th century, new residential areas were created in outlying parishes. One such housing estate is this one to the west of Bielefeld, around the late 19th century church of St John (1895).

Bielefeld s'est agrandie depuis le XVII siècle grâce au tissage du lin et à la fabrication de linge. La prospérité des fabricants et de la classe moyenne bourgeoise s'opposait à la vie de privations des ouvriers de la ville et des villages avoisinants. Au XIX siècle, les habitants de Bielefeld se sentirent à l'étroit dans l'enceinte de la ville datant du Moyen Âge. On bâtit de nouveaux quartiers, avec de nombreuses maisons de rapport, comme ici à l'ouest de Bielefeld autour de l'église St. Johannis construite vers 1895.

SCHLOSS HOLTE am Sennerand

Um 1616 ließ Graf Johann III. von Rietberg anstelle eines zerstörten Vorgängergebäudes dieses Jagdschloss errichten, ein eigenwillig gestalteter Bau der Spätrenaissance. Schloss Holte liegt am Rande der Senne, der weitläufigen Heidelandschaft zwischen Bielefeld und Paderborn. 1699 kam das Anwesen im Erbgang an die österreichischen Fürsten Kaunitz, 1821 erwarb es der aus Osnabrück stammende Unternehmer Friedrich Ludwig Tenge. Dessen Schwiegersohn Julius Meyer empfing im Schloss regelmäßig politische Schriftsteller.

Schloss Holte am Sennerand

In 1616, Count Johann III of Rietberg had this hunting lodge erected on the site of a previous building that had been destroyed. His new manor was designed in an idiosyncratic, Late Renaissance style. Schloss Holte is situated on the edge of the Senne, an extensive area of heathland between Bielefeld and Paderborn. In 1699 the property was inherited by Duke Kaunitz of Austria, and in 1821 it was bought by Friedrich Ludwig Tenge, an industrialist from Osnabrück. His son-in-law, Julius Meyer, regularly received political authors as guests at Schloss Holte.

Palais Holte au bord de la Senne

Le comte Johann III de Rietberg fit construire vers 1616 sur l'emplacement d'un édifice plus ancien un château de chasse, conçu selon ses vœux dans le style Renaissance tardive. Le palais Holte est situé au bord de la Senne, vastes landes entre Bielefeld et Paderborn. La propriété revint par héritage en 1699 aux princes autrichiens Kaunitz, elle fut acquise en 1821 par Friedrich Ludwig Tenge, entrepreneur originaire d'Osnabrück. Son gendre Julius Meyer reçut régulièrement des écrivains politiques dans ce château.

Wie die Landbevölkerung bauten auch die Handwerker, Händler und Bauern der ostwestfälischen Städte bis in das 19. Jh. hinein Hallenhäuser, mit dem Unterschied, dass das Vieh in den Städten nicht im Wohnhaus mit untergebracht war. Das große Tor führte auf die „Deele" (Halle), an deren Ende sich die offene Herdstelle befand. Zur Straße hin gab es eine ofenbeheizte Wohnstube, die Dachgeschosse dienten zu Lagerzwecken. Im 19. Jh. wurden diese Häuser den sich wandelnden Wohnbedürfnissen entsprechend umgebaut.

It was not only the rural population of East Westphalia who built farmhouses, but also townspeople. Well into the 19th century, craftsmen, tradesmen and farmers occupied dwellings which also housed animals, although in the towns the stables were not attached to the living quarters. The plan was a standard one: a large gateway led to a hall with an open hearth at the end. On the side facing the street was an oven-heated parlour, while the attics served as storage space. In the 19th century these houses were adapted to the changing needs of their residents.

Comme la population des campagnes, les artisans, commerçants et ouvriers des villes de Westphalie orientale construisirent eux aussi jusqu'au XIX siècle des maisons à galerie, à une différence près: dans les villes, le bétail n'était pas installé dans la maison. La grande porte conduisait à la «Deele» (galerie) au bout de laquelle se trouvait le foyer ouvert. Côté rue il y avait la salle de séjour, les greniers servaient à stocker. Ces maisons furent adaptées au XIX siècle à de nouveaux besoins en matière d'habitat.

Einer der bedeutendsten stauferzeitlichen Bauten Westfalens ist der von Bernhard III. zur Lippe um 1230-40 errichtete wuchtige Torturm der Burg Rheda, in dem sich eine zweigeschossige Kapelle befindet. Er symbolisiert zugleich Wehrhaftigkeit und Frömmigkeit des Rittertums. Die Grafen von Bentheim-Tecklenburg schufen 1612 und 1745/47 die heutigen Wohngebäude in schlichten Formen der Renaissance und des Barock. Zur Schlossanlage gehören auch mehrere Wirtschafts-gebäude wie die von der Ems getriebene Mühle.

One of the most important Westphalian buildings dating from the era of the Staufer dynasty is the monumental gateway of Rheda castle, built by Bernhard III of Lippe between 1230 and 1240. The tower, containing a two-storey chapel, was designed as a symbol of both the knights' military strength and their religious devotion. The Counts of Bentheim-Tecklenburg built the present day living quarters in 1612, with additions in 1745-47, in plain Renaissance and Baroque styles respectively. In the grounds there are several agricultural buildings, including a watermill on the River Ems.

L'un des édifices les plus significatifs de la période des Staufer en Westphalie est l'imposante porte-tour du château de Rheda, érigée par Berhard III de Lippe vers 1230/40, dans laquelle se trouve une chapelle de deux étages qui symbolise la résistance et la dévotion de la chevalerie. Les comtes de Bentheim-Tecklenburg construisirent en 1612 et 1745/47 les bâtiments d'habitation actuels de style Renaissance et Baroque. Des bâtiments techniques se trouvent aussi dans l'enceinte du château, notamment un moulin entraîné par la Ems.

Gasthof „Zur Linde" in Isselhorst

Heinrich Heine charakterisierte West-falen augenzwinkernd als „das Vater-land des Schinkens". Am besten schmeckt die Schinkenplatte natürlich in traditionsreichen Häusern wie dem Gasthof „Zur Linde" in Isselhorst, einem ausgezeichnet erhaltenen alten Dorfkrug. Die Fenster des 1677 errich-teten Fachwerkhauses haben noch größtenteils die originale Bleiver-glasung und des Nachts wird das Deelentor vom Wirt mit einem dicken Eichenbalken verriegelt.

"Zur Linde" Restaurant at Isselhorst

It was Heinrich Heine who, tongue in cheek, christened Westphalia as the "fatherland of ham". The platter of raw smoked ham is a traditional Westphalian culinary speciality, which naturally tastes best when served up in historic restaurants like the one illustrated here; the exceptionally well-preserved village inn of Zur Linde, in Isselhorst. This fine half-timbered building was built in 1677 and most of the windows have retained their original lead glazing. At night, the landlord still secures the hall door with a thick oak beam.

Restaurant «Zur Linde» à Isselhorst

Heinrich Heine nomma en plaisantant la Westphalie «la patrie du jambon». L'assiette de jambon est meilleure dans des établissements traditionnels comme l'auberge «Zur Linde» à Issel-horst, un ancien estaminet de village très bien conservé. Les fenêtres de cette maison à colombages construite en 1677 possèdent encore la plupart de leurs vitres d'origine en plomb et la nuit, l'aubergiste ferme la porte de la grande salle au moyen d'une poutre de chêne.

Vom westfälischen Schinken ist der Weg zum westfälischen Schnaps natürlich nicht weit und damit ist man im kleinen Fachwerkstädtchen Steinhagen bei Gütersloh genau richtig. Nur hier, so hat es die Europäische Union festgelegt, darf der „Steinhäger" gebrannt werden. Drei Brennereien produzieren den international beliebten Branntwein nach einem strengen Reinheitsgebot, das nur die Verwendung von Wasser, Feinsprit und natürlich Wacholder erlaubt. Der fertige „Steinhäger" wird in Tonkrüge gefüllt, da ihm längere Lichteinwirkung schaden würde.

The subject of Westphalian ham leads us inevitably to Westphalian schnapps, and here, among the half-timbered houses of the little town of Steinhagen, near Gütersloh, we've landed in just the right place. According to a European Union decree, it is only here that Steinhäger can be manufactured. Today three distilleries produce this internationally popular brand according to strict purity laws which limit the ingredients to water, clear spirits and juniper. The finished Steinhäger product always comes in stone jars, as a longer exposure to light detracts from the quality.

On passe facilement du jambon au «Schnaps» de Westphalie, rendons nous près de Gütersloh, dans la petite ville de Steinhagen avec ses maisons à colombages. C'est la seule localité, autorisée par l'Union Européenne, qui peut distiller le «Steinhäger». Trois distilleries produisent ce Schnaps apprécié dans le monde entier d'après un strict commandement de pureté, autorisant uniquement l'utilisation d'eau, d'alcool et bien sûr de genièvre. Le «Steinhäger» est ensuite mis dans des pichets en terre, une trop longue exposition à la lumière lui serait nuisible.

Ein Heilbäderdreieck am nördlichen Teutoburger Wald bilden Bad Rothenfelde, Bad Iburg und Bad Laer. Bad Laer (gesprochen „Laar") kann neben seinen Solthermalbädern mit dem ältesten romanischen Kirchturm Norddeutschlands aus der Zeit um 1250 aufwarten. Der Kneippkurort Bad Iburg verfügt dagegen über die alte Residenz der Fürstbischöfe von Osnabrück. Schon im Mittelalter stand hier eine Burg, die um 1600 durch Fürstbischof Philipp Sigismund von Braunschweig zur großzügigen Schlossanlage im Stil der Renaissance ausgebaut wurde.

In the north of the Teutoburg Forest there is a triangle of health resorts made up of Bad Rothenfelde, Bad Laer und Bad Iburg. Bad Laer is home not only to a number of saline thermal baths but also to the oldest Romanesque church tower in North Germany, dating from about 1250. Bad Iburg (which offers Kneipp hydropathic cures) rivals its neighbour, for here can be found the earliest residence of the Prince-Bishops of Osnabrück. In 1600, the medieval castle that stood on this site was rebuilt as a Renaissance palace by Prince-Bishop Philipp Sigismund of Braunschweig.

Au nord de la forêt de Teutoburg, Bad Rothenfelde, Bad Laer et Bad Iburg forment un triangle des stations thermales. Bad Laer (prononcé «Laar») peut s'enorgueillir de posséder, outre ses bains d'eau saline, le plus vieux clocher roman d'Allemagne du nord, datant d'environ 1250. Bad Iburg, station thermale selon la méthode du Dr. Kneipp, possède l'ancienne résidence des princes-évêques d'Osnabrück. Un château s'y dressait au Moyen Âge et vers 1600 le prince-évêque Philipp Sigismund de Braunschweig le fit transformer en un vaste palais Renaissance.

Als 1856 in der osnabrückischen Landgemeinde Malbergen ein Hüttenwerk gegründet wurde, gewann man König Georg V. und seine Gattin Marie als Namensgeber. Der „Georgs-Marien-Bergwerks- und Hüttenverein" war geboren. Später wurde der Name auf die gesamte Gemeinde am Teutoburger Wald übertragen – Reformen des frühen 19. Jh. brachte den westfälischen Bauern die Befreiung von der Grundherrschaft. Zeugnisse des Aufbruchs sind zahlreiche Hofanlagen mit stattlichen Nebengebäuden wie hier in Bissendorf.

After the Congress of Vienna in 1815, ownership of the former diocese Osnabrück passed to the kingdom of Hannover. In 1856 a group of industrialists in Osnabrück's rural parish of Malberg set up an iron and steel works and succeeded in persuading King Georg V and Queen Marie to lend their name to the enterprise. Thus the Georgs-Marien Mining and Iron and Steel Works Company was born. Eventually the resounding title was of Georgsmarienhütte was applied to the whole parish – a historic industrial location in enchanting countryside.

Lorsqu'en 1856 des entrepreneurs fondèrent une usine métallurgique dans la commune rurale Malbergen près d'Osnabrück, ils réussirent à convaincre le roi Georg V et sa femme Maria de donner leur nom à cette entreprise. Le nom de la «Georgs-Marien Bergwerks- und Hüttenverein» fut ensuite attribué à toute la commune située dans la forêt de Teutoburg. – Les réformes du début du XIX siècle délivrèrent les paysans de Westphalie de la féodalité. Les nombreuses fermes sont un témoignage de ce passage à l'agriculture moderne, comme ici à Bissendorf.

Osnabrück gehört zwar seit 1947 zum Bundesland Niedersachsen. Doch eigentlich ist die Stadt einer der vier alten westfälischen Bischofssitze, deren Geschichte bis in das frühe 9. Jahrhundert und damit in die Zeit der Christianisierung zurückführt. Die alte Kulturlandschaft Westfalens und des Teutoburger Waldes macht an der noch jungen Landesgrenze nicht halt, und so sollte jeder, der an der reichen Geschichte dieser Region interessiert ist, auch einen Abstecher ins Osnabrücker Land unternehmen.

Although Osnabrück has officially been part of the state of Lower Saxony since 1947, historically it has far closer ties with Westphalia, for at one time the city belonged to that group of four Westphalian dioceses which trace their origins to the early 9th century. The cultural landscape of Westphalia and the Teutoburg Forest do not halt abruptly at a state boundary created centuries later, and anyone interested in the eventful history of this region should certainly make a detour to visit the Osnabrück area.

Osnabrück appartient bien depuis 1947 au Land de Basse Saxe. Néanmoins la ville est l'un des quatre anciens évêchés de Westphalie dont l'histoire remonte jusqu'au début du IX siècle, à l'époque de la christianisation. L'ancien paysage culturel de la Westphalie et de la forêt de Teutoburg ne s'arrête pas à la frontière encore récente du Land et bien sûr chaque personne s'intéressant à l'histoire féconde de cette région devrait faire un détour par la région.

Der Teutoburger Wald und Osnabrück

Zwischen den nördlichen Ausläufern des Teutoburger Waldes und des Wiehengebirges liegt Osnabrück. In der Endphase des Dreißigjährigen Krieges (1618-1648) wurde die Domstadt zum Schauplatz internationaler Diplomatie. Während die katholischen Kriegsparteien in Münster tagten, kamen die Vertreter der evangelischen Fürsten in Osnabrück zusammen. Das Ergebnis war der berühmte Westfälische Friede von 1648, der für das Fürstbistum Osnabrück eine außergewöhnliche Regelung brachte. Von nun an wechselten sich bis zum Ende der Selbständigkeit des geistlichen Staates im Jahre 1802 evangelische und katholische Regenten auf dem Bischofsstuhl ab, wobei die Protestanten stets dem Haus Hannover entstammten. Ernst August I. von Hannover ließ 1667-1680 am Rande des alten Stadtkerns von Osnabrück ein neues fürstbischöfliche Residenzschloss errichten. Überragt wird die heute von der Universität genutzte reizvolle Barockanlage vom 103 Meter hohen Turm der benachbarten gotischen Katharinenkirche.

Osnabrück is situated between the northern foothills of the Teutoburg Forest and the Wiehen mountains. In the final phase of the Thirty Years' War (1618-1648), this cathedral city became a showplace of international diplomacy. While the combatants on the Roman Catholic side assembled in Münster, the representatives of the Protestant dukes convened in Osnabrück. The result was the celebrated Treaty of Westphalia, signed in 1648, which was to result in an unusual ruling for Osnabrück. Until 1802, the city constituted an independent, diocesan state, and during this period the position of ruling bishop was alternately held by a Protestant and a Roman Catholic, whereby the Protestants were invariably members of the House of Hannover. Between 1667 and 1680, King Ernst August I of Hannover had a new palace built for the prince-bishops, on the outskirts of the old city centre of Osnabrück. This charming Baroque building, which now forms part of the university, is dominated by the nearby tower of the Gothic church of St Katharine, 103 metres high.

Osnabrück est située entre les contreforts de la Teutoburger Wald au nord et les collines du Wiehengebirge. Au cours de la dernière phase de la guerre de Trente Ans (1618-1648), la ville épiscopale servit de terrain à la diplomatie internationale. Tandis que les belligérants catholiques discutaient à Münster, les représentants des princes protestants se réunissaient à Osnabrück. Le résultat fut le célèbre Traité de Westphalie de 1648, qui apporta à la principauté épiscopale d'Osnabrück un arrangement inhabituel. Dès lors, et jusqu'à l'indépendance de l'état religieux en 1802, les régents protestants et catholiques se succèderaient sur la chaise d'évêque, les protestants devant toujours appartenir à la maison de Hanovre. Ernst August ler de Hannovre fit ériger de 1667 à 1680, en bordure de l'ancien centre d'Osnabrück, un nouveau palais épiscopal. Cette magnifique résidence baroque, utilisée actuellement par l'université, est dominée par la tour de 103 mètres de haut de l'église gothique voisine, la Katharinenkirche.

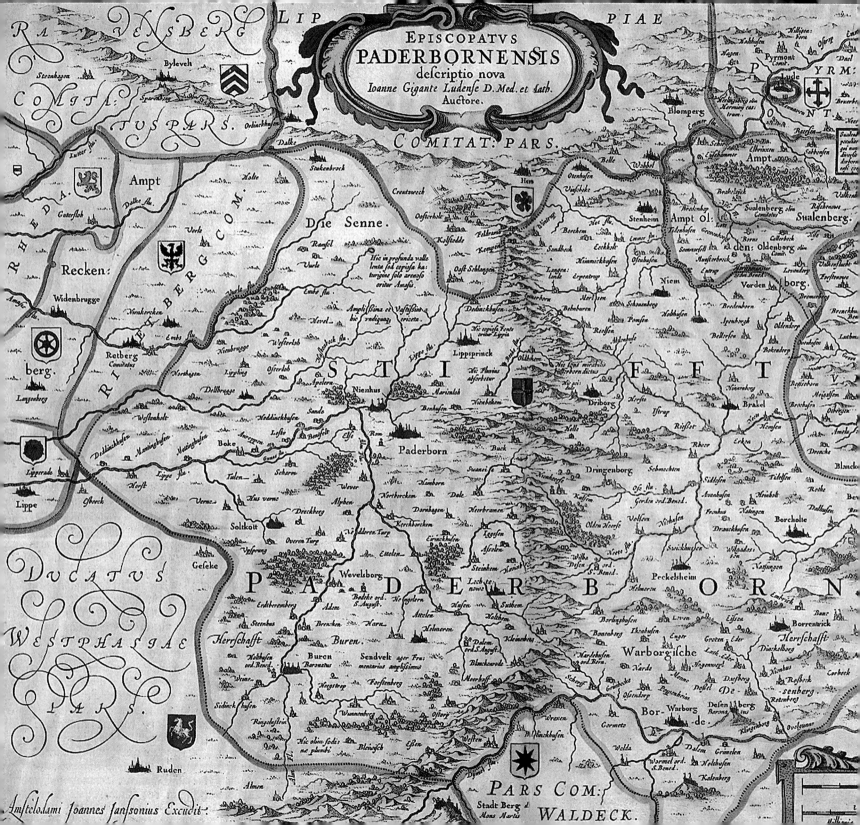

Episcopatvs PADERBORNENSIS descriptio nova Ioanne Gigante Ludense D. Med. et Math. Auctore.

PARS COM: WALDECK.

Amstelodami Joannes Janssonius Excudit.